LA VRAIE VIE

Ouvrage publié sous la direction de Julia Pavlowitch.

Avec le soutien de la Fédération Wallonie-Bruxelles.

L'Iconoclaste
27, rue Jacob, 75006 Paris
Tél. : 01 42 17 47 80
iconoclaste@editions-iconoclaste.fr

La Vraie Vie se prolonge sur www.editions-iconoclaste.fr

ADELINE DIEUDONNÉ

LA VRAIE VIE

L'ICONOCLASTE
ROMAN

ADELINE
DIEUDONNÉ

LA
VRAIE
VIE

L'ICONOCLASTE
PARIS

À Lila et Zazie...

À la maison, il y avait quatre chambres. La mienne, celle de mon petit frère Gilles, celle de mes parents et celle des cadavres.

Des daguets, des sangliers, des cerfs. Et puis des têtes d'antilopes, de toutes les sortes et de toutes les tailles, springboks, impalas, gnous, oryx, kobus... Quelques zèbres amputés du corps. Sur une estrade, un lion entier, les crocs serrés autour du cou d'une petite gazelle.

Et dans un coin, il y avait la hyène.

Tout empaillée qu'elle était, elle vivait, j'en étais certaine, et elle se délectait de l'effroi qu'elle provoquait dans chaque regard qui rencontrait le sien. Aux murs, dans des cadres, mon père posait, fier, son fusil à la main, sur des animaux morts. Il avait toujours la même pose, un pied sur la bête, un poing sur la hanche et l'autre main qui brandissait l'arme en signe de victoire, ce qui le faisait davantage ressembler à un milicien rebelle shooté à l'adrénaline du génocide qu'à un père de famille.

La pièce maîtresse de sa collection, sa plus grande fierté, c'était une défense d'éléphant. Un soir, je l'avais entendu raconter à ma mère que ce qui avait été le plus difficile, ça n'avait pas été de tuer l'éléphant. Non. Tuer la bête était aussi simple que d'abattre une vache dans un couloir de métro. La vraie difficulté avait consisté à entrer en contact avec les braconniers et à échapper à la surveillance des gardes-chasse. Et puis prélever les défenses sur la carcasse encore chaude. C'était une sacrée boucherie. Tout ça lui avait coûté une petite fortune. Je crois que c'est pour ça qu'il était si fier de son trophée. C'était tellement cher de tuer un éléphant qu'il avait dû partager les frais avec un autre type. Ils étaient repartis chacun avec une défense.

Moi, j'aimais bien caresser l'ivoire. C'était doux et grand. Mais je devais le faire en cachette de mon père. Il nous interdisait d'entrer dans la chambre des cadavres.

C'était un homme immense, avec des épaules larges, une carrure d'équarrisseur. Des mains de géant. Des mains qui auraient pu décapiter un poussin comme on décapsule une bouteille de Coca. En dehors de la chasse, mon père avait deux passions dans la vie : la télé et le whisky. Et quand il n'était pas en train de chercher des animaux à tuer aux quatre coins de la planète, il branchait la télé sur des enceintes qui avaient coûté le prix d'une petite voiture, une bouteille de Glenfiddich à la main. Il faisait celui qui parlait à ma mère, mais, en réalité, on aurait pu la remplacer par un ficus, il n'aurait pas vu la différence.

Ma mère, elle avait peur de mon père.

Et je crois que, si on exclut son obsession pour le jardinage et pour les chèvres miniatures, c'est à peu près tout ce que je peux dire à son sujet. C'était une femme maigre, avec de longs cheveux mous. Je ne sais pas si elle existait avant de le rencontrer. J'imagine que oui. Elle devait ressembler à une forme de vie primitive, unicellulaire, vaguement translucide. Une amibe. Un ectoplasme, un endoplasme, un noyau et une vacuole digestive. Et avec les années au contact de mon père, ce pas-grand-chose s'était peu à peu rempli de crainte.

J'ai toujours été intriguée par leurs photos de mariage. D'aussi loin que je m'en souvienne, je me revois en train de consulter l'album à la recherche de quelque chose. Quelque chose qui aurait pu justifier cette union bizarre. De l'amour, de l'admiration, de l'estime, de la joie, un sourire… Quelque chose… Je n'ai jamais trouvé. Sur les clichés, mon père avait la même attitude que sur ses photos de chasse, la fierté en moins. C'est sûr qu'une amibe, ce n'est pas très impressionnant comme trophée. Pas très compliqué à attraper, un verre, un peu d'eau croupie et hop !

Ma mère, à son mariage, elle n'avait pas encore peur. Il semblait juste qu'on l'avait posée là, à côté de ce type, comme un vase. En grandissant, je me suis aussi demandé comment ces deux-là avaient conçu deux enfants. Mon frère et moi. Et j'ai très vite arrêté de me poser la question parce que la seule image qui me venait, c'était un assaut de fin de soirée sur la table de la cuisine, puant le whisky. Quelques secousses rapides, brutales, pas très consenties et voilà...

La principale fonction de ma mère était de préparer les repas, ce qu'elle faisait comme une amibe, sans créativité, sans goût, avec beaucoup de mayonnaise. Des croque-monsieur, des pêches au thon, des œufs mimosa et du poisson pané avec de la purée mousseline. Principalement.

Derrière notre jardin, il y avait le bois des Petits Pendus, une vallée verte et brune, deux pentes qui formaient un grand « V » au fond duquel s'entassaient les feuilles mortes. Et au fond de la vallée, à moitié ensevelie sous les feuilles mortes, il y avait la maison de Monica. On allait souvent lui rendre visite avec Gilles. Elle nous avait expliqué que c'était la griffe d'un dragon qui avait formé le « V ». Le dragon avait creusé la vallée parce que le chagrin l'avait rendu fou. C'était il y a très longtemps. Elle racontait bien les histoires, Monica. Ses longs cheveux gris dansaient sur les fleurs de sa robe. Et ses bracelets tintaient autour de ses poignets.

« Il y a vachement, vachement longtemps, pas très loin d'ici, sur une montagne disparue, vivait un couple de dragons gigantesques. Ces deux-là s'aimaient si fort que la nuit ils chantaient des chants étranges et très jolis, comme seuls les dragons peuvent le faire. Mais ça faisait peur aux hommes de la plaine. Et ils n'arrivaient plus à dormir. Une nuit, alors que les deux amoureux s'étaient assoupis, rassasiés de leurs chants, ils étaient venus, ces crétins d'hommes, avec des torches et des fourches, sur la pointe des pieds, et ils avaient tué la femelle. Le mâle, fou de chagrin, avait carbonisé la plaine peuplée d'hommes, de femmes et d'enfants. Tout le monde était mort. Puis, il avait donné de grands coups de griffe dans la terre. Et ça avait creusé des vallées. Depuis, la végétation a repoussé, des hommes sont revenus, mais les traces de griffes sont restées. »

Les bois et les champs alentour étaient parsemés de cicatrices, plus ou moins profondes.

Cette histoire faisait peur à Gilles.

Le soir, il venait parfois se blottir dans mon lit parce qu'il croyait entendre le chant du dragon. Je lui expliquais que c'était juste une histoire, que les dragons n'existaient pas. Que Monica racontait ça parce qu'elle aimait bien les légendes, mais que tout n'était pas vrai. Au fond de moi-même, il y avait quand même un léger doute qui se baladait. Et j'appréhendais toujours de voir mon père rentrer d'une de ses chasses avec un trophée de dragon femelle. Mais, pour rassurer Gilles, je faisais la grande et je chuchotais : « Les histoires, elles servent à mettre dedans tout ce qui nous fait peur, comme ça on est sûr que ça n'arrive pas dans la vraie vie. »

J'aimais m'endormir avec sa petite tête juste sous mon nez pour sentir l'odeur de ses cheveux. Gilles avait six ans, j'en avais dix. D'habitude, les frères et sœurs, ça se dispute, ça se jalouse, ça crie, ça chouine, ça s'étripe. Nous pas. Gilles, je l'aimais d'une tendresse de mère. Je le guidais, je lui expliquais tout ce que je savais, c'était ma mission de grande sœur. La forme d'amour la plus pure qui puisse exister. Un amour qui n'attend rien en retour. Un amour indestructible.

Il riait tout le temps, avec ses petites dents de lait. Et, chaque fois, son rire me réchauffait, comme une minicentrale électrique. Alors, je lui fabriquais des marionnettes avec de vieilles chaussettes, j'inventais des histoires drôles, je créais des spectacles juste pour lui. Je le chatouillais aussi. Pour l'entendre rire. Le rire de Gilles pouvait guérir toutes les blessures.

La maison de Monica était à moitié mangée par le lierre. C'était joli. Parfois, le soleil tombait dessus à travers les branches, ça ressemblait à des doigts qui la caressaient. Je n'ai jamais vu les doigts du soleil sur ma maison. Ni sur les autres maisons du quartier. Nous, on habitait un lotissement qui s'appelait « le Démo ». Une cinquantaine de pavillons gris alignés comme des pierres tombales. Mon père l'appelait « le Démoche ».

Dans les années soixante, il y avait eu un champ de blé à la place du Démo. Au début des années soixante-dix, le lotissement avait poussé tel une verrue, en moins de six mois. C'était un projet pilote, à la pointe de la technologie du préfabriqué. Le Démo. Démo de je sais pas quoi. À l'époque, ceux qui l'avaient fabriqué avaient dû vouloir prouver un truc. Peut-être que ça avait ressemblé à quelque chose sur le moment. Mais là, vingt ans après, il restait juste le moche. Le joli, s'il y en avait eu, s'était dissous, lavé par la pluie. Il y avait la rue qui faisait un grand carré, avec des maisons dedans et des maisons dehors. Et puis, tout autour, le bois des Petits Pendus.

Notre maison, c'était une des maisons dehors, dans un coin. Elle était un peu mieux que les autres parce que c'était celle que l'architecte du Démo s'était dessinée pour lui. Mais il n'y avait pas habité longtemps. Elle était plus grande que les autres. Plus lumineuse aussi, avec de larges baies vitrées. Et une cave. Ça a l'air con, dit comme ça, mais une cave, c'est important. Ça empêche l'eau de la terre de remonter dans les murs et de les faire pourrir. Les maisons du Démo sentaient la vieille serviette moisie, oubliée au fond d'un sac de piscine. Chez nous, ça ne sentait pas mauvais, mais il y avait les cadavres d'animaux. Je me demandais parfois si je n'aurais pas préféré une maison qui pue.

On avait aussi un jardin plus grand que les autres. Dans la pelouse, il y avait une piscine gonflable. Elle ressemblait à une dame obèse endormie en plein soleil. En hiver, mon père la vidait et la rangeait, ça laissait un large cercle d'herbe brune. Et, au fond du jardin, juste avant le bois, il y avait l'enclos des biquettes, un talus tapissé de romarin rampant. Des biquettes, il y en avait trois : Biscotte, Josette et Muscade. Mais bientôt elles allaient être cinq parce que Muscade était pleine.

Ma mère avait fait venir un bouc pour la saillie, ça avait fait toute une histoire avec mon père. Il se passait parfois quelque chose de curieux chez ma mère. Quand il s'agissait de ses chèvres, il pouvait jaillir du fond de ses tripes une forme d'instinct maternel qui lui faisait tenir tête à son mari. Et quand ça se produisait, il faisait toujours une tête de maître dépassé par son élève. La bouche ouverte, il cherchait vainement une réplique. Il savait que chaque seconde qui passait massacrait un peu plus son autorité, comme une boule de démolition sur un immeuble dévoré par la mérule. Sa bouche ouverte se tordait un peu et il en sortait une sorte de grognement qui sentait le terrier de mouffette. Alors ma mère comprenait qu'elle avait gagné. Elle le paierait par ailleurs, mais cette victoire-ci était pour elle. Elle ne semblait pas en concevoir de joie particulière et retournait à ses activités d'amibe.

Muscade était pleine et, avec Gilles, on était surexcités par l'imminence de la mise bas. On guettait le moindre signe annonçant l'arrivée des chevreaux. Il rigolait en entendant mon explication sur la naissance des petits :

« Ils vont sortir par sa quiquine. On aura l'impression qu'elle fait caca, mais, à la place des crottes, c'est deux bébés chèvres qui vont sortir.

— Mais ils sont rentrés comment dans son ventre ?

— Ils sont pas rentrés, elle les a fabriqués avec le bouc. Ils étaient très amoureux.

— Mais le bouc il est resté même pas un jour, ils se connaissaient presque pas, ils pouvaient pas être amoureux.

— Ah si. Ça s'appelle un coup de foudre. »

Si on traversait le bois des Petits Pendus, qu'on passait par le champ sans se faire voir du fermier, on arrivait à la grande pente en sable jaune. En s'accrochant aux racines, on descendait jusqu'au labyrinthe de voitures cassées. Là non plus il ne fallait pas se faire voir.

C'était un immense cimetière de métal. J'aimais bien cet endroit. Je caressais les carcasses, et je voyais des bêtes entassées, immobiles mais sensibles. Parfois, je leur parlais. Surtout aux nouvelles. Je me disais qu'elles devaient avoir besoin d'être rassurées. Gilles m'aidait. À deux, on pouvait passer des après-midi entiers à parler aux voitures.

Certaines étaient là depuis longtemps, à force on les connaissait bien. Il y avait celles qui n'avaient presque rien, d'autres étaient légèrement abîmées. Et puis, il y avait celles qui étaient complètement démolies, avec le capot éventré, la carrosserie déchiquetée. On aurait dit qu'elles avaient été mâchouillées par un énorme chien. Ma préférée, c'était la verte qui n'avait plus de toit. Elle semblait avoir été raclée net au niveau du capot, comme la mousse sur un verre de bière. Je me demandais ce qui avait pu la racler comme ça. Gilles, il aimait bien la boumboulée. C'est comme ça qu'il disait. La boumboulée. Et c'est vrai qu'elle était drôle.

Celle-là, on imaginait qu'on l'avait mise dans une machine à laver géante mais sans eau. Elle était cabossée partout. Avec Gilles, on se mettait à l'intérieur et on faisait comme si on était dans la machine à laver avec la voiture. Je prenais le volant et je criais : « Boumboulé ! Boumboulé ! Boumboulé ! » en faisant des bonds sur le siège pour faire bouger la voiture. Et le rire magique de

Gilles grimpait jusque tout en haut de la pente de sable jaune. Là, on savait que c'était le moment de déguerpir parce que si le proprio nous avait entendus, il n'allait pas tarder à arriver. C'était à lui qu'appartenait le labyrinthe et il n'aimait pas qu'on vienne y jouer.

Dans le Démo, des grands nous avaient dit qu'il mettait des pièges à loup, pour attraper les enfants qui jouent près de ses voitures. Alors on regardait toujours bien où on mettait les pieds. Quand il nous entendait, il arrivait en hurlant « Et alors ? » et il fallait filer avant de se faire attraper, remonter la pente, s'accrocher aux racines, combattre la peur qui empêche de respirer, fuir très, très loin des « Et alors ? ». Avec son corps lourd et gras, il ne pouvait pas monter bien haut sur le mur de sable.

Un jour, Gilles a attrapé une racine trop mince, qui a cassé. Il est tombé tout droit, à quelques centimètres des grosses mains qui essayaient de l'attraper. Il a bondi comme un chat, je l'ai attrapé par la manche et on s'en est sortis tout juste. Une fois en haut, on a ri de peur. On est allés voir Monica sous le lierre pour lui raconter. Elle a ri aussi, mais elle nous a avertis. Fallait pas avoir d'ennuis avec lui. Elle nous a dit comme ça, avec sa voix de vieux klaxon et son parfum de plage : « Les têtards, vous savez, il y a des gens qu'il ne faut pas approcher. Vous apprendrez ça. Il y a des gens qui vont vous assombrir le ciel, qui vont vous voler la joie, qui vont s'asseoir sur vos épaules pour vous empêcher de voler. Ceux-là, vous les laissez loin de vous. Lui, il fait partie de ceux-là. » J'ai rigolé parce que j'ai imaginé le proprio de la casse s'asseoir sur les épaules de Gilles. Puis on est repartis vers le Démo parce qu'on a entendu la musique. La *Valse des fleurs*, de Tchaïkovski. La camionnette du marchand de glace, fidèle au rendez-vous, comme tous les soirs. On est allés demander de l'argent à notre père.

Gilles, il prenait toujours deux boules. Vanille-fraise. Moi, c'était chocolat-stracciatella avec de la chantilly. Mais la chantilly, c'était interdit. Je ne sais pas pourquoi, mon père n'était pas d'accord. Alors je la gobais vite avant de rentrer à la maison. C'était un secret entre moi, mon petit frère et le gentil monsieur dans la camionnette. Un très vieil homme, chauve, long et mince, dans son costume en velours marron. Il nous disait toujours avec sa voix caillouteuse et son sourire au coin des yeux : « Mangez vite avant qu'elle fonde, les loupiots, parce qu'il y a du soleil et du vent, c'est ce qu'il y a de pire pour la glace. »

Un soir d'été, ma mère avait fait des pêches au thon que nous avions mangées sur la terrasse en pierre bleue qui donnait sur le jardin. Mon père avait déjà déserté pour s'installer devant sa télé, avec sa bouteille de Glenfiddich. Il n'aimait pas passer du temps avec nous. Je crois que, dans cette famille, personne n'aimait le moment où on se retrouvait réunis autour du repas du soir. Mais mon père nous imposait ce rituel, autant qu'il se l'imposait à lui-même. Parce que c'était comme ça. Une famille, ça prend ses repas ensemble, plaisir ou pas. C'était ce qu'on voyait à la télé. Sauf qu'à la télé, ils avaient l'air heureux. Surtout dans les pubs. Ça discutait, ça riait. Les gens étaient beaux et ils s'aimaient. Le temps passé en famille nous était vendu comme une récompense. Avec le Ferrero Rocher, c'était supposé être la friandise à laquelle on a droit après les heures passées à travailler au bureau ou à l'école. Chez nous, les repas familiaux ressemblaient à une punition, un grand verre de pisse qu'on devait boire quotidiennement. Chaque soirée se déroulait selon un rituel qui confinait au sacré. Mon père regardait le journal télévisé, en expliquant chaque sujet à ma mère, partant du principe qu'elle n'était pas capable de comprendre la moindre information sans son éclairage. C'était important le journal télévisé pour mon père. Commenter l'actualité lui donnait l'impression d'avoir un rôle à y jouer. Comme si le monde attendait ses réflexions pour évoluer dans le bon sens. Quand le générique de fin retentissait, ma mère criait : « À table ! »

Mon père laissait la télé allumée et chacun venait s'asseoir pour manger en silence. Le moment où il se levait pour retourner dans son canapé était vécu comme une libération. Ce soir-là, comme tous les autres.

Gilles et moi avions quitté la table pour aller jouer dans le jardin. Le soleil caressait cette fin de journée d'une lumière qui sentait bon le miel caramélisé. Dans le hall d'entrée, ma mère nettoyait la cage de Coco, la perruche. J'avais essayé de lui dire, à ma mère, que c'était cruel de la garder en cage. Surtout que des perruches, il y en avait plein le jardin. Il paraît même que c'était un problème parce qu'elles mangeaient la nourriture des petits oiseaux, comme les moineaux et les mésanges. Et chez nous, elles mangeaient les cerises avant qu'elles n'aient le temps de mûrir sur le cerisier du jardin. Elles étaient là parce qu'à quelques kilomètres du Démo, il y avait eu un zoo. Un petit zoo. Mais il avait fait faillite à cause d'un parc d'attractions qui s'était installé pas très loin et qui avait attiré tous les visiteurs. Tous les animaux avaient été vendus à d'autres zoos. Mais les perruches, tout le monde s'en foutait et ça coûtait trop cher de les transporter. Alors le responsable avait simplement ouvert leur cage. Peut-être qu'il avait pensé qu'elles mourraient de froid. Mais elles n'étaient pas mortes. Au contraire, elles s'étaient adaptées, avaient fabriqué des nids et fait des petits. Elles se déplaçaient toujours en groupe, ça faisait de gros nuages verts qui filaient dans le ciel. C'était joli. Bruyant mais joli.

Je ne comprenais pas pourquoi cette pauvre Coco devait rester en cage à regarder les autres s'amuser sans elle. Ma mère disait que ça n'était pas pareil, qu'elle venait du magasin, qu'elle n'était pas habituée. N'empêche.

Ma mère nettoyait donc la cage de Coco. C'était l'heure de la *Valse des fleurs* et de la glace. La camionnette s'est arrêtée le long de la haie de notre maison. Le vieux glacier était là, avec une dizaine d'enfants qui piaillaient autour de lui. Monica m'avait dit que lui, c'était pas comme le proprio de la casse de voitures. Il était doux. Quand elle avait parlé de lui, j'avais vu passer quelque chose d'étrange dans ses yeux. Comme ils étaient vieux tous les deux, je me suis dit qu'il s'était peut-être passé quelque chose entre eux avant. Peut-être une belle histoire d'amour contrariée par de vieilles querelles familiales. Je lisais pas mal de bouquins de la collection « Harlequin » à ce moment-là.

Quand le glacier a tendu à Gilles sa glace vanille-fraise, j'ai regardé ses mains. C'est rassurant des mains de vieux. D'imaginer que leur mécanique si fine, si élaborée, fonctionne et obéit à ce monsieur sans qu'il ait à y penser, depuis si longtemps, d'imaginer les tonnes de glaces qu'elles ont fabriquées, sans jamais le trahir, ça me donnait foi en quelque chose que je ne définissais pas. Et puis c'était beau. La peau si fine sur les tendons presque à nu, le bleu des veines comme des ruisseaux.

Le monsieur m'a regardée, le sourire aux yeux :
« Et toi, mon petit loupiot ? »

C'était à moi. Mon petit texte tournait dans ma tête depuis cinq minutes. Je ne sais pas pourquoi, quand je demandais une glace, je n'aimais pas improviser. Il fallait qu'il y ait quelqu'un dans la file devant moi, ça me laissait le temps de choisir ce que je voulais et de construire ma phrase. Pour qu'elle sorte bien, sans hésitation. Aujourd'hui, on était les derniers, tous les enfants avaient eu leur glace et étaient repartis.

« Chocolat-stracciatella dans un cornet avec de la chantilly, s'il vous plaît monsieur.

– Avec de la chantilly, mademoiselle ! Mais certainement… »

Il m'a fait un clin d'œil sur le mot « chantilly » pour me dire que c'était toujours bien notre secret. Alors ses mains, ses deux chiens fidèles, se sont mises au travail et ont répété leur petite danse pour la cent millième fois. Le cornet, la cuillère à glace, la boule chocolat, le bocal d'eau chaude, la boule stracciatella, le siphon… Un vrai siphon, avec de la chantilly faite maison.

Le vieux s'est penché pour faire un joli tourbillon de crème sur ma glace. Ses yeux bleus grand ouverts, bien concentrés sur la spirale nuageuse, le siphon contre sa joue, le geste gracieux, précis. Sa main si proche de son visage. Au moment où il est arrivé au sommet de la petite montagne de crème, au moment où le doigt s'apprêtait à relâcher sa pression, au moment où le vieux se préparait à se redresser, le siphon a explosé. Boum.

Je me souviens du bruit. C'est le bruit qui m'a terrifiée en tout premier. Il a percuté chaque mur du Démo. Mon cœur a manqué deux battements. Ça a dû s'entendre jusqu'au fond du bois des Petits Pendus, jusqu'à la maison de Monica.

Puis j'ai vu le visage du vieux monsieur gentil. Le siphon était rentré dedans, comme une voiture dans la façade d'une maison. Il en manquait la moitié. Son crâne chauve est resté intact. Son visage, c'était un mélange de viande et d'os. Avec juste un œil dans son orbite. Je l'ai bien vu. J'ai eu le temps. Il a eu l'air surpris, l'œil. Le vieux est resté debout deux secondes, comme si son corps avait eu besoin de ce temps pour réaliser qu'il était maintenant surmonté d'un visage en viande. Puis il s'est effondré.

Ça ressemblait à une blague. J'ai même pu entendre un rire. Ça n'était pas un rire réel, ça ne venait pas de moi non plus. Je crois que c'était la mort. Ou le destin. Ou quelque chose comme ça, un truc bien plus grand que moi. Une force surnaturelle, qui décide de tout et qui se sentait d'humeur taquine ce jour-là. Elle avait décidé de rire un peu avec le visage du vieux.

Après, je ne me souviens plus très bien. J'ai crié.

Des gens sont arrivés. Ils ont crié. Mon père est arrivé. Gilles ne bougeait plus. Ses grands yeux écarquillés, sa petite bouche ouverte, sa main crispée sur son cornet de glace vanille-fraise. Un homme a vomi du melon avec du jambon de Parme. L'ambulance est arrivée, puis le corbillard.

Mon père nous a ramenés à la maison, en silence. Ma mère a passé un coup de balayette devant la cage de Coco. Mon père est allé se rasseoir devant sa télé. J'ai pris la main de Gilles et je l'ai emmené vers l'enclos des biquettes. Le regard fixe et la bouche entrouverte, il m'a suivie comme un somnambule.

Tout me semblait irréel. Le jardin, la piscine, le romarin, la nuit qui tombait. Ou plutôt, nimbé d'une réalité nouvelle. La réalité sauvage de la chair et du sang, de la douleur et de la marche du temps, linéaire, impitoyable. Mais surtout, la réalité de cette force que j'avais entendue rire quand le corps du vieux s'était effondré. Ce rire qui n'était ni en moi ni à l'extérieur. Ce rire qui était partout, en tout, comme cette force. Elle pouvait me trouver n'importe où. Nulle part où me cacher. Et si je ne peux pas me cacher, rien n'existe. Rien d'autre que le sang et la terreur.

Je voulais aller voir les biquettes parce que j'espérais que leur indifférence de ruminants me raccrocherait à la réalité et que ça me rassurerait. Elles étaient là toutes les trois, à brouter dans leur enclos. Un groupe de perruches s'est posé sur les branches du cerisier. Plus rien n'avait de sens. Ma réalité s'était dissoute. Un néant vertigineux auquel je ne voyais pas d'issue. Un néant si palpable que je pouvais sentir ses murs, son sol et son plafond se resserrer autour de moi. Une panique sauvage commençait à m'étouffer. J'aurais voulu que quelqu'un, un adulte, me prenne par la main et me mette au lit. Replace des balises dans mon existence. M'explique qu'il y aurait un lendemain à ce jour, puis un surlendemain, et que ma vie finirait par retrouver son visage. Que le sang et la terreur allaient se diluer.

Mais personne n'est venu.

Les perruches ont mangé les cerises encore vertes. Gilles avait toujours la bouche ouverte et les yeux écarquillés, son petit poing serré autour du cornet de glace, couvert de vanille-fraise fondue. Je me suis dit que si personne ne me mettait au lit, moi je pouvais faire ça pour Gilles. J'aurais voulu lui parler, lui dire des mots rassurants, mais je n'ai pas pu. La panique n'avait pas relâché son étreinte autour de ma gorge. Je l'ai emmené dans ma chambre et on s'est couchés dans mon lit tous les deux. Ma fenêtre donnait sur le jardin, les chèvres et le bois. Le vent faisait danser l'ombre d'un chêne sur le parquet. Je n'ai pas pu dormir. À un moment, j'ai entendu ma mère monter se coucher. Puis mon père, une heure plus tard. Ils ne montaient jamais ensemble. Mais ils partageaient toujours le même lit. J'imaginais que ça devait faire partie du package « famille normale », comme les repas. Je me demandais parfois s'il y avait des moments de tendresse entre eux. Comme entre Gilles et moi. Je le leur souhaitais, sans trop y croire. Je n'imaginais pas une vie sans tendresse, particulièrement un soir comme celui-là.

J'ai regardé chaque minute chasser la précédente sur mon radio-réveil. Elles me semblaient de plus en plus longues. J'avais envie de vomir. Mais je ne voulais pas me lever et risquer de réveiller Gilles s'il avait eu la chance de s'endormir. Il me tournait le dos, je ne pouvais pas voir ses yeux.

Vers les cinq heures du matin, quelque chose m'a appelée dehors, comme une intuition. Je suis descendue dans le jardin. L'obscurité m'a terrifiée, plus encore que d'habitude. J'imaginais des créatures tapies dans l'ombre des arbres, prêtes à dévorer mon visage, comme celui du glacier. Je suis allée jusqu'à l'enclos des biquettes. Muscade s'était mise un peu à l'écart. Sous sa queue, il y avait un long filament glaireux.

J e suis remontée dans ma chambre.

« Gilles, les bébés arrivent. »

Ces mots, qui étaient les premiers que je pro-
nonçais depuis que j'avais commandé ma glace
à la chantilly, ont sonné bizarrement. Comme
s'ils venaient d'un monde disparu. Gilles n'a
pas réagi.

Je suis allée réveiller ma mère, qui est descendue, surexcitée. Je ne sais pas comment décrire
une amibe surexcitée. C'est tout désordonné et
maladroit. Ça parle vite et fort, court à droite,
à gauche. De l'eau chaude, de l'alcool camphré,

de l'Iso-Betadine, des serviettes, une brouette, de la paille...

J'ai sorti Gilles de mon lit pour qu'il vienne voir. Le temps qu'on redescende, deux petits sabots étaient déjà sortis. Puis un museau. Muscade a poussé, bêlé, poussé, bêlé, poussé, ça avait l'air douloureux. Et difficile aussi. Puis, tout à coup, le chevreau a glissé hors de son corps. Elle s'est remise à pousser, bêler, pousser, bêler, pousser. Il y a eu une odeur bizarre. Une odeur tiède de corps et de tripes. Un deuxième petit est sorti. Muscade s'est levée et, pendant qu'elle léchait ses chevreaux, une grosse masse brunâtre a jailli hors d'elle et s'est écrasée au sol, en faisant un bruit gras et visqueux. Muscade s'est retournée et a commencé à manger la masse brunâtre. L'odeur tiède s'est faite plus forte. Elle semblait émaner du ventre de Muscade pour emplir toute l'atmosphère terrestre. Je me suis demandé comment une si petite chèvre pouvait contenir autant d'odeur.

Ma mère s'est mise à quatre pattes et a commencé à embrasser les chevreaux. Deux mâles. Elle posait ses lèvres et frottait son visage partout sur leurs petits corps poisseux. Puis, toujours à quatre pattes, elle s'est retournée vers nous, le visage maculé de résidus de poche amniotique.

« Ils s'appelleront Cumin et Paprika. »

Les jours suivants, il a fait chaud. Un soleil blanc tombant d'un ciel vide.

Mon père était nerveux. Il rentrait du travail avec le front bas. J'avais déjà remarqué qu'il était comme ça quand il n'était pas allé chasser depuis longtemps. Il claquait la porte d'entrée, jetait ses clefs et sa mallette, puis il commençait à chercher... une raison pour cracher toute sa colère. Il passait dans chaque pièce, observait tout dans la maison, le sol, les meubles, ma mère, Coco, Gilles et moi. Il flairait. Dans ces moments-là, on savait qu'on devait disparaître dans nos chambres. Ma mère, elle ne pouvait pas, elle devait préparer le repas. Parfois, il se contentait de grogner et d'aller s'installer devant la télé. Ça pouvait durer plusieurs jours. Ça montait. Et puis, toujours, il finissait par trouver.

« C'est quoi, ça ? »

Il posait la question doucement, très bas. Ma mère savait que, quoi qu'elle dise, ça allait mal se passer. Mais elle répondait quand même.

« Des macaronis jambon-fromage.

– Je sais que ce sont des macaronis jambon-fromage. »

Il parlait toujours très doucement.

« Pourquoi tu as fait des macaronis jambon-fromage ? »

Et plus il parlait doucement, plus sa colère derrière allait être terrible. Je crois que c'était là le moment le plus épouvantable pour ma mère. Quand elle savait que ça allait arriver, qu'il la scrutait, qu'il goûtait sa peur, qu'il prenait son temps. Il faisait comme si tout dépendait de sa réponse. C'était le jeu. Mais elle perdait à tous les coups.

« Mais parce que tout le monde aime ça les...

– TOUT LE MONDE ? C'EST QUI ÇA, "TOUT LE MONDE" ? »

Et c'était parti. Tout ce qu'elle pouvait espérer, c'était que toute la colère de mon père sorte en cris. Enfin, c'était plutôt des rugissements. Sa voix éclatait, elle bondissait hors de sa gorge pour aller dévorer ma mère. Elle la découpait, la mettait en pièces pour la faire disparaître. Et pour ça, ma mère était d'accord. Disparaître. Et si les rugissements ne suffisaient pas, les mains venaient les aider. Jusqu'à ce que mon père se vide complètement de sa colère. Ma mère se retrouvait toujours par terre, immobile. Elle ressemblait à une taie d'oreiller vide. Après ça, on savait qu'on avait quelques semaines de calme devant nous.

Je crois que mon père n'aimait pas son travail. Il était comptable au parc d'attractions qui avait mis le zoo en faillite. « Les gros mangent les petits », il disait. Ça avait l'air de lui faire plaisir. « Les gros mangent les petits. » Moi, je trouvais ça incroyable de travailler dans un parc d'attractions. Le matin, quand je partais à l'école, je me disais : « Mon père va passer sa journée au parc d'attractions. » Ma mère ne travaillait pas. Elle s'occupait de ses chèvres, de son jardin, de Coco et de nous. Elle s'en fichait d'avoir de l'argent à elle. Tant que sa carte de crédit passait. Ma mère n'a jamais semblé gênée par le vide. Ni par l'absence d'amour.

La camionnette du glacier est restée garée devant notre maison pendant plusieurs jours. Je me suis posé toutes sortes de questions. Qui va la nettoyer ? Et quand elle aura été nettoyée, qu'est-ce qu'on va faire du seau plein d'eau, de savon, de sang, de fragments d'os et de cervelle ? Est-ce qu'on va le déverser sur la tombe du vieux, pour que tous ses morceaux restent ensemble ? Est-ce que la glace qui était dans les frigos a fondu ? Et si elle n'a pas fondu, est-ce que quelqu'un va la manger ? Est-ce que la police peut mettre une fillette en prison parce qu'elle a demandé de la chantilly sur sa glace ? Est-ce qu'ils vont le dire à mon père ?

À la maison, nous n'avons jamais parlé de la mort du vieux glacier. Peut-être que mes parents ont pensé que la meilleure réaction à avoir c'était de faire comme si rien ne s'était passé. Ou peut-être qu'ils se sont dit que la naissance des chevreaux nous avait fait oublier le visage en viande. Je crois qu'en réalité, ils ne se sont tout simplement pas posé la question.

Gilles est resté silencieux pendant trois jours entiers. Je n'osais pas regarder dans ses grands yeux verts parce que j'étais certaine d'y voir, projeté en boucle, le film du visage qui explose. À table, il ne mangeait plus rien. Sa purée et son poisson pané refroidissaient dans son assiette. J'essayais de le distraire. Il me suivait comme un robot docile, mais il ne vivait plus à l'intérieur.

On est allés voir Monica. Sous la peau de son cou, quelque chose a tremblé en apprenant ce qui était arrivé au glacier. Elle a regardé Gilles. J'espérais qu'elle ferait quelque chose pour lui, qu'elle sortirait un chaudron, une baguette magique ou un vieux grimoire. Mais elle a juste caressé sa joue.

L'odeur tiède du ventre de Muscade planait toujours. Je crois qu'en réalité, elle planait surtout dans ma tête. Mais j'ai gardé de cet été le souvenir de ce parfum gluant, tenace, qui m'accompagnait jusque dans mes rêves. C'était le mois de juillet et pourtant les nuits me semblaient plus noires et plus froides qu'en hiver.

Gilles venait se blottir dans mon lit tous les soirs. Le nez dans ses cheveux, je pouvais presque entendre ses cauchemars. J'aurais donné tout ce que j'avais pour pouvoir remonter le temps, revenir au moment où j'avais demandé cette glace. J'ai imaginé cette scène des milliers de fois. Cette scène où je dis au glacier : « Chocolat-stracciatella dans un cornet, s'il vous plaît monsieur. » Et il me dit : « Pas de chantilly aujourd'hui, mademoiselle ? » Et je réponds : « Non merci, monsieur. » Et ma planète n'est pas aspirée dans un trou noir. Et le visage du vieux n'explose pas devant mon petit frère et ma maison. Et je continue à entendre la *Valse des fleurs* le lendemain et le surlendemain, et l'histoire s'arrête là. Et Gilles sourit.

Je me suis souvenue d'un film que j'avais vu un jour, dans lequel un scientifique un peu fou inventait une machine à remonter le temps. Il utilisait une voiture toute bricolée avec plein de fils partout, il fallait rouler très vite, mais il y parvenait. Alors j'ai décidé que moi aussi j'allais inventer une machine et que je voyagerais dans le temps et que je remettrais de l'ordre dans tout ça.

À partir de ce moment-là, ma vie ne m'est plus apparue que comme une branche ratée de la réalité, un brouillon destiné à être réécrit, et tout m'a semblé plus supportable. Je me suis dit qu'en attendant que la machine soit prête, en attendant d'être capable de revenir en arrière, il fallait que je sorte mon petit frère de son silence.

Je l'ai emmené dans le labyrinthe, jusqu'à la boumboulée. « Assieds-toi. » Il s'est assis, docile. J'ai pris place au volant et j'ai fait des bons à genoux sur le siège, de toutes mes forces, j'ai secoué la voiture comme jamais. « Boumboulééééé ! Boumboulééééé ! Boumboulééééé ! Allez, Gilles ! Boumboulééééé ! » Il est resté là, sans réaction, avec ses grands yeux verts tout vides. Il avait l'air si fatigué... Heureusement que le proprio ne nous a pas entendus parce que, comme il était, Gilles se serait laissé attraper sans broncher.

À la maison, j'ai fabriqué de nouvelles marionnettes, inventé de nouvelles histoires. Il s'asseyait devant moi, mon tout petit spectateur. Je lui parlais de princesses qui se prennent les pieds dans leur robe, de princes charmants qui font des prouts, de dragons qui ont le hoquet... Finalement, sans trop savoir pourquoi, je l'ai emmené dans la chambre des cadavres. Mon père était au travail et ma mère s'était absentée pour faire des courses. Lorsque nous sommes entrés dans la chambre, j'ai senti le regard de la hyène dans mon dos. Mes yeux ont soigneusement évité de rencontrer les siens.

C'est à ce moment-là que j'ai compris. Ça a fondu sur moi comme un fauve affamé, lacérant mon dos de ses pattes griffues. Le rire que j'avais entendu quand le visage du vieux avait explosé, il venait d'elle. La chose que je ne pouvais pas nommer, mais qui planait, cette chose vivait à l'intérieur de la hyène. Ce corps empaillé était l'antre d'un monstre. La mort habitait chez nous. Et elle me scrutait de ses yeux de verre. Son regard mordait ma nuque, se délectait de l'odeur sucrée de mon petit frère.

Gilles a lâché ma main et s'est tourné vers la bête. Il s'est approché et a posé ses doigts sur la gueule figée. Je n'osais plus bouger. Elle allait se réveiller et le dévorer. Gilles s'est laissé tomber sur les genoux. Ses lèvres tremblaient. Il a caressé le pelage mort et a passé ses bras autour du cou du fauve. Son petit visage si proche de l'immense mâchoire. Puis il s'est mis à sangloter, son corps de moineau secoué par des torrents de terreur.

Comme un abcès qui avait pris le temps de mûrir, l'horreur éclatait et se déversait sur ses joues. J'ai compris que c'était bon signe, que quelque chose se remettait à circuler en lui, que la machine repartait.

Quelques jours plus tard, le glacier a été remplacé par un autre. La *Valse des fleurs* est revenue. Chaque soir, le visage en viande dans ma tête. Chaque soir, ce craquement dans les yeux de mon petit frère. Cette musique qui allait taper sur un élément tout au fond de lui, la pièce centrale du mécanisme qui fabrique la joie, le démolissant chaque jour un peu plus, le rendant toujours plus irréparable. Et chaque soir, je me suis répété que ce n'était pas grave, que j'étais juste dans la branche ratée de ma vie et que tout ça était destiné à être réécrit.

Quand la camionnette de glaces passait, j'essayais d'être près de Gilles. Je voyais bien que tout son petit corps tremblait quand il entendait la musique.

Un soir, je n'ai pas trouvé Gilles dans sa chambre, ni dans la mienne, ni dans le jardin. Alors je suis entrée dans la chambre des cadavres, sans bruit parce que mon père était dans le salon. Je l'ai trouvé là, assis près de la hyène. Il chuchotait dans ses grandes oreilles. Je n'ai pas entendu ce qu'il lui disait. Quand il s'est aperçu de ma présence, il m'a jeté un regard étrange. J'ai eu l'impression que c'était la hyène qui me regardait. Et si le choc de l'explosion du siphon de crème avait ouvert un passage dans la tête de Gilles ? Et si la hyène était en train de profiter de ce passage pour aller habiter dans mon petit frère ? Ou pour y infiltrer quelque chose de maléfique ? Cet air-là, ce que j'ai vu sur le visage de Gilles, ça n'était pas lui. Ça sentait le sang et la mort. Ça m'a rappelé que la bête rôdait et qu'elle dormait dans ma maison. Et j'ai compris qu'elle vivait désormais à l'intérieur de Gilles.

Mes parents n'ont rien vu. Mon père était trop occupé à commenter la télé à ma mère et ma mère était trop occupée à avoir peur de mon père.

Il fallait que je commence à construire cette machine à remonter le temps le plus vite possible. Je suis allée voir Monica, certaine qu'elle pourrait m'aider.

Je suis descendue dans la griffe, sa maison était toujours là, avec la main du soleil dessus. Elle m'a ouvert la porte, elle portait une de ses longues robes pleines de couleurs, de fleurs et de papillons. Ça sentait toujours la cannelle à l'intérieur. Je suis allée m'asseoir sur la banquette couverte d'une peau de mouton. C'était comme l'ivoire dans la chambre des cadavres, doux avec quelque chose de puissant derrière. Comme si l'esprit de l'animal vivait encore à l'intérieur. Et qu'il pouvait sentir mes caresses.

Monica m'a servi un jus de pomme. Dans son visage aussi quelque chose avait disparu depuis la mort du glacier. Je n'ai pas osé lui dire que c'était ma faute, que c'était moi qui avais demandé la chantilly. Ça, personne ne devait jamais le savoir. Je lui ai parlé de Gilles et de mon idée de voyage dans le temps.

« Vous voyez, dans le film, il y a cette voiture et il lui faut énormément d'énergie. Ils utilisent du plutonium. Et quand ils n'ont pas de plutonium, ils se servent de la foudre. Moi, je peux trouver la voiture et la bricoler un peu, mais je ne sais pas créer la foudre. Vous savez si on peut provoquer un orage ? »

Elle a souri un peu, sa tristesse est partie faire un tour dehors.

« Oui, je crois que c'est possible. On va en chier des ronds de carotte, ça va être beaucoup de boulot, mais je crois que c'est possible. J'en ai déjà entendu parler, en tout cas. C'est un mélange de science et de magie. Si tu veux, je m'occupe de l'orage. Pour la science, il va falloir que tu apprennes sur le tas. Mais si tu veux vraiment, tu y arriveras, ça prendra du temps, plus que tu ne crois, mais tu y arriveras. Comme Marie Curie. »

J'ai pincé les lèvres.

« Putain, tu sais pas qui c'est Marie Curie ? Ils font quoi avec vous toute la journée à l'école ? Bordel ! Marie Curie, enfin ! Maria Salomea Skłodowska, de son vrai nom. Elle s'est appelée Curie quand elle s'est mariée avec Pierre Curie. Première femme à recevoir un prix Nobel. Seule et unique lauréate dans toute l'histoire des Nobel à en recevoir deux : prix Nobel de physique avec son mari en 1903 pour leurs recherches sur les radiations, puis Pierre est mort et boum ! re-prix Nobel, mais de chimie cette fois, en 1911 pour ses travaux sur le polonium et le radium. C'est elle qui a découvert ces deux éléments. Le polonium, elle l'a appelé comme ça en hommage à son pays d'origine. T'as jamais vu un tableau de Mendeleïev non plus, je parie ? »

J'ai fait « non » de la tête.

« Misère… Elle a bossé comme une cinglée toute

sa vie. Tu t'es déjà cassé quelque chose ? Un bras ?
Une jambe ?

– Oui, le bras quand j'avais sept ans.

– Bon. On t'a fait passer une radio pour voir la
fracture ?

– Oui.

– Merci Marie Curie.

– Et vous croyez qu'elle pourrait m'aider ? Elle
habite où ?

– Ah non. Elle est morte. À cause des radiations.
Mais tout ça pour te dire que si tu travailles beaucoup à quelque chose, tu peux y arriver.

– Donc si je bricole une voiture, vous m'aiderez
pour l'orage ?

– Juré craché. »

Je suis rentrée à la maison rassurée. J'avais une
solution et je n'étais pas seule. J'ai commencé dès
le lendemain. Je me suis procuré toute la docu-
mentation possible sur Marie Curie et la trilogie
de *Retour vers le futur*. Je savais que ça prendrait
du temps. Mais chaque jour, l'état de Gilles me
rappelait à mon devoir.

L'été s'est terminé et l'année scolaire s'est écoulée, fade et ennuyeuse, comme toutes les autres. Tout mon temps libre était consacré à l'élaboration de mon plan.

L'été suivant est arrivé. L'état de Gilles ne s'était pas amélioré. Le vide de ses yeux s'était peu à peu rempli d'un truc incandescent, pointu et tranchant. Ce qui vivait à l'intérieur de la hyène avait progressivement migré vers la tête de mon petit frère. Une colonie de créatures sauvages s'y était installée, se nourrissant des lambeaux de sa cervelle. Cette armée grouillante pullulait, brûlait les forêts primaires et les transformait en paysages noirs et marécageux.

Je l'aimais. Et j'allais réparer tout ça. Rien ne pourrait m'en empêcher. Même s'il ne jouait plus avec moi. Même si son rire était devenu aussi sinistre qu'une pluie acide sur un champ de coquelicots. Je l'aimais comme une mère aime son enfant malade. Son anniversaire, c'était le 26 septembre. J'ai décidé que tout devrait être prêt pour ce jour-là.

Mon père venait de rentrer d'une partie de chasse dans l'Himalaya. Il avait ramené la tête d'un ours brun, qu'il avait accrochée sur son mur de trophées. Pour faire de la place, il avait dû retirer quelques bois de cerfs. La fourrure de l'ours, il l'avait mise sur son canapé et il s'affalait dessus chaque soir pour regarder la télé. Il était parti une vingtaine de jours et nous avions vécu son absence comme un soulagement. Les semaines qui avaient précédé son départ, il avait été nerveux comme jamais.

Un soir, nous étions à table et je savais qu'il allait y avoir une colère. Nous le savions tous les quatre. Ça faisait des jours qu'il rentrait du travail en reniflant partout, le muscle tendu, prêt à bondir. À chaque fois, Gilles et moi nous étions réfugiés dans nos chambres, convaincus qu'il allait exploser. Mais ça ne venait pas. Et sa nervosité s'accumulait comme du butane.

Ce soir-là, donc, nous étions à table. Chacun mangeait en silence. Nos gestes étaient précis, mesurés. Personne ne voulait être responsable de l'étincelle qui provoquerait l'explosion. Les seuls bruits qui emplissaient la pièce émanaient de mon père. De ses mâchoires entre lesquelles disparaissaient de gros morceaux de viande. De sa respiration courte et rauque. Dans son assiette, les haricots et la purée ressemblaient à deux atolls perdus au milieu d'une mer de sang. Je me forçais à manger pour me fondre dans le décor, mais j'avais les tripes nouées. Je l'observais du coin de l'œil, je guettais l'arrivée du cataclysme.

Il a posé ses couverts. Dans un souffle à peine audible, il a dit : « C'est ça que tu appelles "saignant" ? » Ma mère est devenue si blanche qu'on aurait pu penser que tout son sang était parti dans l'assiette de mon père. Elle n'a rien dit. Il n'y avait aucune bonne réponse à cette question.

Mon père a insisté : « Alors ? »

Elle a murmuré : « Il y a plein de sang dans ton assiette. »

Entre ses dents, il a grogné : « Alors tu es contente de toi. »

Ma mère a fermé les yeux. On y était. De ses deux poings monstrueux, il a attrapé son assiette et l'a pulvérisée contre la table.

« MAIS POUR QUI TU TE PRENDS ? BORDEL ! »

Il a saisi ma mère par les cheveux et lui a écrasé le visage dans la purée et les débris de porcelaine.

« HEIN ? POUR QUI TU TE PRENDS ? TU CROIS QUE T'ES QUI ? T'ES RIEN ! RIEN ! »

Ma mère couinait de douleur. Elle ne suppliait pas, ne se débattait pas, elle savait que ça ne servait à rien. De son visage déformé, écrasé par la main de mon père, je ne discernais plus que sa bouche tordue par la terreur. Nous savions tous les trois que cette fois-ci allait être pire que toutes les autres. Gilles et moi, on est restés paralysés sur nos chaises. On n'a pas pensé à monter dans nos chambres. D'habitude, les colères de notre père explosaient après le dîner, jamais pendant. Donc il était rare qu'on en soit spectateurs.

Il a soulevé la tête de ma mère en la tirant par les cheveux, puis l'a projetée plusieurs fois sur la table, au même endroit, sur les restes de l'assiette. Je ne savais plus si le sang était celui du steak ou celui de ma mère. Puis je me suis rappelé que tout ça n'avait pas d'importance parce que j'allais pouvoir remonter dans le temps et tout effacer. Et que tout ça n'existerait plus dans ma nouvelle vie.

Quand mon père s'est calmé, j'ai pris Gilles par la main et on est montés dans ma chambre. On s'est cachés sous ma couette. Je lui ai raconté qu'on était dans l'œuf d'une autruche et qu'on jouait à cache-cache avec Monica. Que tout ça n'était qu'un jeu, juste un jeu. Un jeu.

Le surlendemain, notre père est parti chasser dans l'Himalaya et on a pu recommencer à respirer.

Quelques jours après le retour de mon père, Gilles et moi avons accompagné notre mère pour faire des courses. On est passés par l'animalerie parce qu'elle avait besoin de poudre vitaminée pour les chèvres. C'était un hangar immense dans lequel on trouvait de tout, à la fois pour les animaux domestiques et pour le bétail. Ma mère aimait bien papoter avec le monsieur. C'était un fils de fermier, il savait tout sur les animaux. Alors, avec Gilles, on en profitait pour aller s'amuser dans les ballots de paille. Ils étaient empilés sur plusieurs mètres, ça faisait comme une forteresse à escalader. Il fallait juste se méfier des trous. Le monsieur m'avait dit que c'était déjà arrivé dans sa famille, qu'un enfant était mort en tombant dans un trou entre les ballots.

Ce jour-là, il y avait des chiots à donner, ceux de la petite chienne du hangar, un genre de jack russel à poil dur. Je trouvais qu'elle ressemblait à une vieille brosse à dents. J'ai demandé à ma mère si on pouvait en prendre un. Elle était d'accord, évidemment, mais c'était à mon père de décider.

Le soir même, je suis allée le voir dans le salon. Comme il avait chassé son ours peu de temps avant, il était calme.

De temps en temps, à la place de regarder la télé, il mettait de la musique. Claude François. C'était rare. Mais c'était le cas ce soir-là. Je me suis approchée du canapé sans faire de bruit parce qu'il n'aimait pas ça mon père, le bruit. Il était vraiment très calme. Assis bien droit, les mains sur les genoux, immobile. À cette heure-ci, la lumière de dehors avait presque disparu de la pièce. Son visage était à moitié englouti par la pénombre. Claude François chantait *Le téléphone pleure*. Mon père

avait un reflet bizarre sur la joue. Je me suis glissée
près de lui, sur le canapé.

« Papa ? »

Il a eu un léger sursaut, a passé une main sur
le reflet pour le faire disparaître, puis il a grogné,
mais c'était pas comme d'habitude. Un grognement
plus doux.

Je me suis souvent demandé pourquoi il pleurait.
Sur cette chanson-là en particulier. Je savais qu'il
n'avait jamais connu son père, mais personne ne
m'avait expliqué pourquoi. Est-ce qu'il était mort ?
Est-ce qu'il l'avait abandonné ? Est-ce qu'on lui
avait caché qu'il avait un fils ? En tout cas, cette
absence semblait avoir creusé un trou dans la poitrine de mon père, juste sous sa chemise. Ce trou
aspirait et broyait tout ce qui s'en approchait.
C'était pour ça qu'il ne m'avait jamais prise dans
ses bras. Je le comprenais et je ne lui en voulais pas.

« Papa, dis, tout à l'heure à l'animalerie, il y avait
des bébés chiens et je voulais savoir si je pouvais
en avoir un. »

Il m'a regardée. Il avait l'air fatigué, comme s'il
venait de perdre une bataille.

« D'accord, ma puce. »

Ma puce. J'ai cru que mon cœur allait exploser. Ma puce. Mon père m'avait appelée « ma puce ». Ces deux petits mots ont tournoyé dans mes oreilles comme des lucioles, puis sont allés se faufiler au fond de ma poitrine. Leur lumière a brillé là pendant plusieurs jours. Le lendemain, ma mère nous a emmenés chercher le chiot. Gilles les a caressés chacun à leur tour. Il ne souriait pas, mais ça avait l'air de lui faire du bien, ces petites boules chaudes et douces entre ses mains. Je lui ai dit : « Tu choisis le chiot et moi je choisis son nom, d'accord ? »

Il a soulevé celui qui était sur ses genoux. « Celui-ci. » Le monsieur de l'animalerie a dit : « C'est une femelle. » J'ai dit : « Elle s'appellera Curie. Comme Marie Curie. » J'ai pensé que ça me porterait chance. Que peut-être, ça allait attirer l'attention de Marie Curie, là-haut au paradis, enfin, si le paradis existait, et qu'elle me donnerait un coup de main.

Quand on est rentrés à la maison, j'ai emmené Gilles et Curie dans le labyrinthe des voitures mortes. Pour faire visiter à Curie, mais aussi parce qu'il fallait que je choisisse la voiture qui allait me servir pour fabriquer ma machine à remonter le temps.

En traversant le champ de maïs, on a croisé des enfants du Démo. La bande de Derek. Je ne les aimais pas beaucoup, ceux-là. Ils ne pensaient qu'à se battre. C'est pas que j'aimais particulièrement les Barbie et les cordes à sauter, moi aussi j'aimais bien me battre, mais pour jouer. Pour voir qui est le plus fort, sans se faire mal. Eux, ils mordaient et ils donnaient de vrais coups dans l'estomac. Surtout Derek. Il avait une drôle de cicatrice à côté de la bouche qui lui faisait une grimace sauvage, comme un sourire, même quand il était en colère. Et il était toujours en colère, une colère bien installée qui avait fait son nid dans les nœuds de ses cheveux blonds. Et puis, Derek et sa bande, ils étaient méchants avec Gilles parce qu'il était petit. Donc, quand on les croisait, on essayait de les éviter.

De loin, ils nous ont vus, et Derek a crié: «Hé, les gosses de riches!»

Il disait ça juste parce que notre maison était un peu plus grande que les autres dans le Démo. Et qu'on avait une piscine gonflable. On a fait semblant de ne pas les entendre et on a couru jusqu'au labyrinthe. Il y avait plein de nouvelles voitures qui étaient arrivées, ça m'a pris toute l'après-midi pour les rassurer. Parce qu'elles étaient nombreuses, mais aussi parce que Gilles n'a pas voulu m'aider. Il est resté assis dans son coin à tracer des formes dans le sable avec un bâton.

J'ai repéré une carcasse qui avait l'air en bon état. Une jolie voiture rouge, qui ressemblait un peu à la DeLorean du doc. À mon avis, elle était morte de vieillesse, pas à cause d'un accident.

Maintenant, il fallait que je retourne voir Monica.

L e lendemain de l'arrivée de Curie, ma mère est
revenue toute fière de chez le quincaillier. Elle
lui avait fait fabriquer une médaille. Ma mère était
toujours pleine d'attentions pour les animaux. J'ai
regardé le petit cercle en métal sur lequel elle avait
fait graver notre numéro de téléphone d'un côté et
« Curry » de l'autre.

Je n'ai jamais ressenti grand-chose pour ma
mère, si ce n'est une profonde compassion. À la
seconde où mes yeux ont déchiffré ces cinq lettres,
cette compassion s'est instantanément dissoute
dans une flaque de mépris noir et puant.

J'ai décidé de rebaptiser le chiot Skłodowska. Ça lui ferait peut-être même encore plus plaisir, à Marie Curie, que je donne son nom de jeune fille à ma chienne. Mais Skłodowska, c'était un peu long à dire. Alors pour faire simple, j'ai raccourci en Dovka. Ça a fait rire mon père, qui s'est mis à l'appeler Vodka. Bien entendu, j'ai jeté la médaille et j'ai dit à mes parents que Dovka l'avait perdue.

Je suis retournée voir Monica. J'avais plus ou moins compris ce que je devais faire avec la voiture pour la transformer en machine à remonter le temps.

Quand je suis arrivée à sa maison, elle était installée dehors, dans son rayon de lumière. Assise sur un gros tronc d'arbre couvert d'un plaid en crochet bariolé, elle fabriquait un vase avec un tour de potier. Je l'observais quelques instants sans me faire voir. Ses bras secs et musclés, constellés de taches de rousseur, sa peau cuivrée au parfum de cardamome, son regard de prêtresse amérindienne avaient dû remplir des asiles psychiatriques entiers d'amoureux déçus.

Elle m'a vue et m'a accueillie avec sa voix qui sentait le grand large.

« Ah ben ça faisait longtemps qu'on l'avait plus vue dans les parages celle-ci ! Comment ça va, la gosse ? »

Je lui ai expliqué tout ce que j'avais appris sur le voyage dans le temps et mon objectif du 26 septembre. En lisant une biographie de Marie Curie, j'avais compris que je voulais devenir comme elle. Quelqu'un qui n'a pas peur de prendre sa place, de jouer un rôle et de contribuer aux progrès de la science. Elle a ri. « Hé ben ma chérie ! » Je lui ai demandé si elle avait avancé de son côté avec l'orage. Elle m'a dit qu'elle allait avoir besoin d'un objet.

« Quelque chose d'irremplaçable. Ça ne doit pas forcément être quelque chose qui coûte cher, mais ça doit être irremplaçable. Un objet précieux pour toi ou pour quelqu'un que tu aimes. Plus ça sera chargé de valeur sentimentale, plus la magie sera puissante et plus ça aura de chances de fonctionner. Quand tu auras trouvé l'objet, reviens me voir. Et aussi, je ne peux provoquer l'orage que pendant une nuit de pleine lune. »

L'idée m'est venue instantanément. Je connaissais l'objet idéal. Une rivière a gelé dans ma nuque. C'était de la folie, mais c'était la seule solution.

« Je reviendrai vous voir avec l'objet quand la voiture sera prête, à la fin de l'été. »

J'ai repris le chemin de la maison. J'avais envie d'emmener Dovka faire un tour dans les champs. Peut-être que Gilles voudrait m'accompagner. Même si, en ce moment, il passait le plus clair de son temps sur sa Game Boy. Parfois, il acceptait encore de venir jouer à cache-cache avec moi dans les champs de maïs. Leurs grandes feuilles coupantes nous éraflaient les joues et les bras. Les soirs qui suivaient une partie de cache-cache dans le maïs, ma peau était en feu et je me promettais de ne plus jamais recommencer.

À la maison, je n'ai pas trouvé Dovka dans le jardin. Je suis allée voir sur son coussin dans le salon. Comme elle était encore toute petite, elle dormait beaucoup. Mais elle n'était pas là non plus. J'ai demandé à ma mère, mais elle venait juste de rentrer de ses courses, elle ne l'avait pas vue. Sur son visage, il y avait encore les traces de la grosse colère de mon père. Ce qui mettait le plus de temps à cicatriser, c'était une entaille profonde, juste sous son œil droit. Elle m'a aidée à chercher, on a fouillé la maison, le jardin, l'enclos des biquettes, aucune trace de Dovka. Gilles non plus ne l'avait pas vue. Il était de nouveau près de la hyène. Ma mère l'a grondé, il n'avait pas le droit d'être là. Si notre père l'apprenait...

La panique commençait à serrer sa grande main autour de ma gorge. Exactement comme le soir de la mort du glacier. Pourquoi je n'avais pas emmené Dovka avec moi pour voir Monica ?

Il fallait élargir les recherches. Si elle n'était pas chez nous, elle ne pouvait pas être bien loin. Dans le Démo ou dans les bois. Mais il fallait faire vite. Ma mère est partie du côté des bois, Gilles et moi dans le Démo. J'ai pensé qu'elle croiserait peut-être Monica. Si c'était le cas, j'aurais bien aimé être là pour voir ça. Mais il y avait plus urgent.

Il faisait une chaleur étouffante. Un de ces jours de canicule qui se terminent par un ciel couleur bitume et un orage chargé du parfum de l'asphalte brûlant. Avec Gilles, nous sommes allés sonner à toutes les maisons. J'étais heureuse qu'il accepte de m'aider. Comme de petits représentants de commerce, nous passions de porte en porte, répétions le même discours. Les gens étaient plutôt gentils. Surtout un jeune couple. La fille nous a ouvert la porte, une grande plume mince et douce qui sentait la pâte à modeler, avec un tout petit bébé dans les bras. Elle a appelé son fiancé, un type encore plus grand qu'elle, le torse nu et tatoué, très musclé. Fière et amoureuse, la Plume a dit : « Champion de karaté. » Elle nous trouvait « si beaux et bien élevés », Gilles et moi. Ils nous ont offert un jus d'orange. J'ai vu que Gilles observait le bébé avec une attention que je ne lui avais plus vue depuis longtemps. Le champion de karaté a eu l'air sincèrement inquiet pour Dovka. Je ne pouvais pas m'empêcher d'étudier la topographie de ce torse, le relief des muscles sous la peau, les veines saillantes... J'ai pensé à un cheval sauvage. Un animal puissant, nerveux mais tendre. J'ai eu envie qu'il me prenne dans ses bras. Quelque chose de chaud s'est dilaté dans mon ventre. J'ai compris tout de suite que cette dilatation était de nature à me détourner de mes objectifs, alors je l'ai étouffée en serrant mes abdominaux de toutes mes forces. Nous avons terminé notre jus d'orange, salué, remercié et nous avons continué notre enquête.

De maison moche en maison moche, nos espoirs s'amenuisaient. Je commençais à imaginer ma pauvre chienne écrasée sur le bas-côté d'une route de campagne ou dévorée par un renard.

Ce qu'il y avait de particulier avec toutes ces maisons identiques, c'est que, en réalité, elles ne l'étaient pas tout à fait. Pas du tout, d'ailleurs. L'architecture était la même, une sorte de container en polypropylène gris percé de rares fenêtres, surmonté d'une toiture en ardoise. Mais dans cette similarité, chaque différence frappait le regard. La personnalité des habitants, leur mode de vie suintaient du moindre rideau, du moindre pot de fleurs, du moindre lampadaire. Certaines maisons semblaient hurler la solitude de leurs occupants et l'inconsistance vertigineuse de leur existence. Comme celle de la vieille dame dont la pelouse était peuplée de créatures de porcelaines, des nains, des faons, des lapins.

Nous sommes arrivés à une maison qui semblait encore plus grise que les autres. Je la connaissais. C'était là qu'habitait Derek. Dans l'herbe jaunie du petit jardin gisait un vieux pneu, à côté d'un bac à sable en forme de coquillage en plastique rouge décoloré. Près de la porte, les restes de ce qui avait dû être une armoire en kit pourrissaient comme le cadavre boursouflé d'une noyée sur la berge d'un fleuve. J'ai sonné, malgré la crainte instinctive qui commençait à me grignoter les viscères. De derrière la porte, une voix a rugi.

« C'est quoi ?

– Bonjour monsieur, on cherche notre petite chienne qui a disparu, vous ne l'auriez pas vue ? »

La porte s'est ouverte sur un type en survêtement qui exhalait une forte odeur, mélange d'alcool, de tabac bon marché et d'urine. Une partie de son cerveau s'attachait à nous observer, tandis qu'une autre semblait lutter avec acharnement pour maintenir son corps debout. Dans une de ses mains repliée contre sa poitrine, il tenait Dovka.

En nous voyant, Gilles et moi, la chienne s'est mise à japper en s'agitant. L'homme a vacillé.

« Ah ! Vous l'avez retrouvée ! Merci monsieur ! »

Là, le type a fait une moue bizarre, en mettant ses lèvres en cul-de-poule, il a plissé un peu les yeux et il a prononcé ces mots :

« Dites à vot' père que je rendrai le clebs s'il nous laisse nager dans vot' piscine, avec mon gamin. »

Le corps du type s'est penché sur le côté pour laisser apparaître Derek qui se tenait à deux mètres derrière lui dans le hall d'entrée. L'œil vautré sous les paupières bouffies restait fixé sur Gilles et moi. Mais à présent, toutes les fonctions cérébrales de l'homme étaient mobilisées pour empêcher la chute de son corps. Dovka couinait et se débattait de plus en plus fort. J'ai pensé qu'avoir un odorat de chien dans cette maison devait être un véritable supplice. J'avais déjà des difficultés à respirer. Chez le type, une petite poignée de neurones a semblé se libérer de la lutte contre la gravité pour actionner un muscle du bras qui a refermé la porte. Je n'ai pas osé regarder Gilles. Parce que je savais que si mon regard croisait le sien, les larmes que je retenais de toutes mes forces allaient se mettre à couler. Et je ne voulais pas qu'il me voie pleurer. Pas par crainte que ma détresse soit contagieuse, mais parce que j'avais peur que mes larmes servent de nourriture à la vermine qui grouillait dans sa tête.

Nous avons repris le chemin de la maison, en silence. Une fois rentrés, j'ai expliqué le problème à ma mère. Elle a semblé un peu décontenancée, ses yeux ont dansé quelques secondes dans leurs orbites, puis elle a dit :

« Il faudra en parler avec votre père quand il rentrera. »

J'imaginais le calvaire de Dovka. Il était hors de question de la laisser là jusqu'au retour de mon père. J'ai repensé au champion de karaté et à son corps de cheval sauvage. Le truc chaud dans mon ventre s'est à nouveau dilaté, mais plus fort que la première fois. J'ai laissé faire parce que j'ai senti que, ce coup-ci, il n'y avait aucune contradiction entre cette dilatation et mon objectif de sortir Dovka de là à tout prix.

Je me suis remise en route, Gilles m'a suivie. J'ai sonné, la Plume a ouvert la porte, un peu surprise.

Le Champion a écouté notre histoire. Ses mâchoires se sont contractées, ça a fait un joli relief juste au-dessous de ses oreilles. On aurait dit Clark Kent quand il se transforme en Superman. Ça a réveillé son instinct de super-héros. Sans prendre le temps d'enfiler un tee-shirt, le Champion nous a dit de le suivre et s'est dirigé vers la maison encore plus grise que les autres. Il a frappé la porte avec son poing. C'est Derek qui a ouvert. Il n'a pas eu le temps de comprendre ce qui se passait, le Champion l'a bousculé et s'est précipité dans la maison. Je l'ai suivi. Le père du gamin gisait dans un vieux divan qui devait abriter un écosystème complet de parasites et de moisissures. Dovka dormait dans ses bras. Le Champion a pris le chiot délicatement et me l'a rendu. Le type a ouvert un œil. Il a juste eu le temps de voir le poing du Champion s'abattre sur sa mâchoire. Tout en tapant sur le type comme si c'était un sac de sable, le Champion a répété : « Espèce de vieille merde ! » plusieurs fois. Chaque coup faisait un bruit mat. Derek s'est rué sur le bras gonflé, tendu, puissant comme une colonne de forage à percussion, et a essayé de le mordre. Le

Champion l'a attrapé de son autre bras et l'a fait valser de l'autre côté de la pièce.

Quand toute sa rage a eu fini de se déverser sur le type, il a regardé son poing plein de sang, l'air perplexe, se demandant si c'était le sien. Le type était incrusté dans son divan, comme un lapin dans l'asphalte d'une route de campagne. Du sang coulait de sa bouche pour aller se mélanger aux autres taches sur son tee-shirt. Dans les yeux de Gilles, j'ai vu la vermine exulter devant ce spectacle. Elle s'est remise à copuler, coloniser, dévaster le peu de terres encore fertiles et vivantes dans la tête de mon petit frère. J'ai pris sa main, j'ai dit « Merci monsieur » au Champion qui a souri en caressant la tête de Dovka. Il a dit : « C'est normal, ma chérie. » Dans un coin de la pièce, Derek, terrorisé, n'osait plus bouger.

Sur le chemin du retour, la camionnette du glacier est passée, jouant la *Valse des fleurs*. J'ai pris la main de Gilles. Elle était froide et raide comme un oiseau mort. La hyène a ri en me déchiquetant les tripes.

Dans mon livre *Ami de la science*, il était dit que, parmi les théories développées sur le voyage dans le temps, la théorie du « trou de ver » était la plus vraisemblable. En gros, il fallait créer un trou de ver, ce qui permettrait de se déplacer d'un espace-temps vers un autre. Et pour créer un trou de ver, il fallait accélérer des particules avec une énergie phénoménale.

Parmi le bric-à-brac qui traînait dans le cimetière des voitures, j'ai trouvé un vieux micro-ondes. J'ai entrepris de le connecter avec la batterie de la voiture. Si ma théorie était juste, il suffirait de programmer le micro-ondes sur la date et l'heure de la mort du glacier, de faire démarrer la voiture et de provoquer l'orage, le tout une nuit de pleine lune. Il me restait à fournir à Monica l'objet dont elle avait besoin. La prochaine pleine lune tombait le 29 août. Je savais que je serais prête. Les jours qui ont suivi celui de l'enlèvement de Dovka m'ont laissé le souvenir d'une longue agonie. Comme si, avant même sa naissance, cet été avait été atteint d'un cancer foudroyant. Le jardin en fleurs avait pris des airs de chambre d'hôpital. J'attendais le 29 août.

Gilles passait de plus en plus de temps dans la chambre des cadavres à parler à la hyène. La vermine dans sa tête avait pris le pouvoir. Même son visage s'en trouvait modifié. Ses yeux s'étaient enfoncés dans leurs orbites, autour desquelles son visage semblait s'être dilaté à cause de la prolifération des parasites qui lui dévoraient le cerveau. Pourtant, j'étais certaine qu'il existait quelque part, tout au fond de son âme, un bastion qui résistait encore. Un village de Gaulois qui survivait à l'envahisseur. J'en étais certaine parce que tous les soirs, il venait se glisser dans mon lit. Il ne disait rien, mais il se blottissait à quelques centimètres de moi. Je pouvais entendre ses larmes s'écraser sur le matelas comme des petits corps qui tombent. J'avais compris que le bruit de ses larmes, c'était la clameur du village gaulois qui s'élevait au loin lorsque la vermine s'endormait. Je le prenais dans mes bras, même si quelque chose à l'intérieur de moi me disait que son corps contre le mien, ses sept ans, mes onze ans, ça commençait à devenir bizarre. Mais je m'en fichais. J'espérais que, par induction, j'arriverais à nourrir sa zone de résistance. Je me figurais des avions parachutant des caisses de vivres sur une population d'hommes, de femmes et d'enfants maigres mais solides. Une tribu solidaire, joyeuse, téméraire, à la volonté inébranlable. Des hommes vêtus de pagnes en cuir brun taillés comme le champion de karaté du Démo, le torse tatoué, la peau cuivrée, veloutée par la caresse des embruns, le muscle nerveux, impatient d'exterminer la vermine. Tant que cette tribu restait en vie, mon petit frère n'était pas tout à fait perdu. Mais, un matin, j'ai compris que la tribu avait essuyé une défaite.

Dans la chambre de Gilles, il y avait un chinchilla. Helmut. Une grosse boule de poils grise qui menait une existence de rongeur paisible dans une grande cage en plastique. Des copeaux de bois, un biberon d'eau, une roue, un peu de foin, rien de très original. Ma mère l'avait un jour ramené d'une animalerie, en qualifiant ce genre de boutique d'«enfer sur terre», où les animaux vivaient dans des conditions «absolument épouvantables».

Ce matin-là, c'était quelques jours avant la rentrée des classes, j'étais dans ma chambre en train de déballer le matériel tout neuf que je venais d'aller acheter avec ma mère. J'ai toujours aimé les préparatifs de la rentrée. L'odeur des cahiers neufs, des crayons, de la gomme, les intercalaires, la liste qu'on coche au fur et à mesure, les choses qu'on possède pour la première fois (cette année-là, je découvrais avec bonheur le compas). J'aimais tout ce qui avait trait au commencement. Ce moment où on imagine que les événements vont se dérouler selon un schéma planifié, que chaque nouvel élément va nous arriver sur un tapis roulant comme un colis dans un centre de tri et qu'il nous suffira de le ranger à l'endroit approprié. Les titres en bleu, les sous-titres en rouge. La gomme pour le crayon, l'efface-encre pour le stylo-plume. Le goûter dans la poche avant du cartable, la gourde dans son emplacement latéral. Le classeur de maths, avec un intercalaire pour les fractions, un autre pour la géométrie, un troisième pour les tables de multiplication et un dernier pour les exercices. Quelques heures douces et chaudes comme un ventre maternel, pendant lesquelles je pouvais entretenir l'illusion de posséder un semblant de maîtrise sur le cours de mon existence. Comme s'il existait un rempart pour me protéger de la hyène. Évidemment, je finissais toujours par m'apercevoir qu'il y avait des feuilles inclassables, qui n'étaient ni vraiment des exercices, ni vraiment de la géométrie, ni vraiment des multiplications. Que la vie est une grande soupe dans un mixer au milieu de laquelle il faut essayer de ne pas finir déchiqueté par les lames qui vous attirent vers le fond.

J'étais occupée à ranger mes feutres dans ma trousse lorsqu'un bruit bizarre m'est parvenu de la chambre de Gilles. Un couinement. Je me suis approchée sans bruit de sa porte entrouverte. Il était agenouillé sur le plancher. D'une main, il immobilisait Helmut, de l'autre, il lui enfonçait une punaise dans la patte. Le chinchilla se tordait de douleur en lançant des cris de détresse suraigus.

« Qu'est-ce que tu fais ? »

Il m'a regardée de ses grands yeux vides. Je n'y ai pas vu la moindre trace de culpabilité. J'ai juste compris que je venais d'interrompre un jeu. Et cela faisait si longtemps qu'il ne s'était pas amusé que pendant une fraction de seconde, je m'en suis voulu d'avoir gâché ce qui semblait être un moment de plaisir. J'ai refermé la porte. Je n'ai rien dit à personne. Je crois que je me suis persuadée qu'un système nerveux de chinchilla devait être un truc assez sommaire et que si ça pouvait aider mon petit frère à retrouver le sourire en attendant le 29 août, le sacrifice en valait la peine. Et si on regarde ça du point de vue du cycle de réincarnation, c'était excellent pour le karma d'Helmut. D'ailleurs, Helmut est mort quelques semaines plus tard. Crise cardiaque.

Le 29 août est enfin arrivé. Je me suis réveillée tôt. Depuis la fenêtre de ma chambre, je pouvais voir le bois des Petits Pendus flotter dans une brume rose. J'ai pensé que Monica avait dû vouloir habiller cette journée d'une lumière magique.

Elle m'avait demandé de lui apporter l'objet de valeur le matin, pour qu'elle ait le temps de l'ensorceler pendant la journée. J'avais retourné la question dans tous les sens, l'objet le plus puissant de la maison, le seul qui eût une vraie valeur sentimentale, c'était la défense d'éléphant. Mon père y tenait plus que tout. Si la maison avait brûlé, je pense qu'il aurait d'abord sauvé son trophée avant Gilles et moi. Il fallait que j'emmène la défense d'éléphant jusque chez Monica le matin et que mon père n'aille pas dans la chambre des cadavres pendant toute la journée. On était samedi, il ne devait pas aller travailler. C'était la seule faiblesse de mon plan. S'il s'apercevait de sa disparition avant la nuit, je ne voulais pas imaginer ce dont il serait capable.

La maison dormait. Le Démo dormait. Même les biquettes dormaient encore dans leur enclos. Je devais attendre que tout le monde soit réveillé pour me lever. Tout devait avoir l'air aussi normal que possible. La première à se réveiller, c'était toujours ma mère. Elle commençait par aller dire bonjour à Coco, qui l'accueillait avec ses vocalises. Puis elle sortait nourrir les chèvres. C'était le signal qu'on attendait, Gilles et moi pour nous lever à notre tour.

J'ai patienté longtemps en fixant le plafond. J'ai pensé à la vermine dans la tête de Gilles. J'ai pensé à la hyène. Ce soir, la bataille serait gagnée. Tout ça n'aurait jamais existé. C'était le dernier jour de mon brouillon de vie. Bien sûr, mon père aurait encore ses colères et ma mère serait toujours une amibe. Mais j'allais retrouver mon petit frère. Et son rire avec toutes ses dents de lait.

Coco a crié. Je me suis levée. Mes vêtements m'attendaient sur une chaise, je les avais préparés la veille. Je suis descendue prendre mon petit-déjeuner. Mon père dormait encore. J'ai avalé un bol de céréales en vitesse. Gilles m'a rejointe en silence et a avalé un verre de lait par petites gorgées, l'air absent. Je n'ai pas pu m'empêcher de lui dire : « Tu vas voir, tout va s'arranger. » Il a froncé les sourcils, au-dessus de sa moustache de lait.

« De quoi tu parles ?

– Rien, tu verras. »

La chambre des cadavres était juste à côté de celle de mes parents. C'était risqué d'aller chercher la défense d'éléphant alors que mon père dormait à quelques mètres. Mais c'était encore plus risqué d'attendre qu'il soit levé. Je me suis glissée sans bruit jusqu'au palier. Je savais exactement quelles lames de parquet je devais éviter pour ne pas le faire grincer. Je suis entrée et j'ai fermé la porte derrière moi. La hyène m'a mordue avec ses yeux, comme à chaque fois. J'avais l'impression que c'était mon père qui me regardait à travers elle. La défense d'éléphant était posée sur deux crochets. Je l'ai soulevée. J'ai été surprise par son poids, c'était beaucoup plus lourd que ce que j'avais imaginé. J'étais en train de l'emballer dans une serviette de bain lorsque j'ai entendu du bruit dans la chambre de mon père. Il se levait. J'ai arrêté de respirer. Sa carcasse de molosse a fait bouger une lame de parquet sous mes pieds. Il est sorti de sa chambre. Sa silhouette dans la lumière de l'aube a fait une ombre sous la porte. L'ombre est restée immobile quelques secondes, pendant lesquelles j'ai fixé la poignée de la porte. Il a reniflé, s'est raclé la gorge, puis est parti vers la salle de bain. J'ai attendu le bruit de la douche avant d'oser bouger à nouveau. La défense sous le bras, emballée dans sa serviette, je suis descendue. Ma mère était dans la cuisine, je suis sortie sans me faire voir.

J'ai couru aussi vite que possible vers le bois et la maison de Monica. J'ai frappé à sa porte.

Quand elle m'a ouvert, elle avait l'air encore un peu endormie. Je l'ai trouvée plus belle que d'habitude. Derrière ses longs cheveux gris en désordre, elle a souri.

« Oh la gosse ! Tu veux entrer ? »

Je suis entrée et j'ai déballé l'ivoire. Elle a ouvert de grands yeux.

« Mais ? C'est quoi ça ?

– C'est l'objet le plus précieux de ma maison. C'est mon père qui l'a chassé, il y tient vraiment fort.

– Mais ? Et il est d'accord pour qu'on l'utilise ?

– Oh non ! Mais il ne s'en rendra pas compte puisqu'on va revenir dans le temps.

– Pas con. »

Elle a réfléchi quelques secondes en touchant l'ivoire. « Mais, j'ai pas besoin d'un objet aussi puissant, tu sais. Je pensais plutôt à un ours en peluche ou un truc comme ça. »

Elle a encore réfléchi quelques secondes.

« Tu vas ramener cette défense où tu l'as trouvée et tu vas me ramener un doudou, d'accord ?

– Ça, c'est beaucoup trop dangereux. Là, mon

père il est debout, je peux pas rentrer à la maison maintenant avec ça. Si je me fais attraper, il... »

Ma bouche s'est mise à l'envers, mes mots sont restés dans ma gorge et deux grosses larmes ont coulé. Je détestais ça. Déjà, je n'aimais pas pleurer, mais quand ça me prenait par surprise, ça me mettait en colère contre moi-même.

« Je peux pas ramener ce truc. On doit remonter le temps, c'est la seule solution. »

Monica a regardé mes larmes comme si c'étaient les siennes. Ses yeux ont fait de petits mouvements rapides de droite à gauche. Ça m'a rappelé un mot que j'avais appris à l'école : « désemparée ». Elle était désemparée.

« Mais... Tu sais que tout ça n'est qu'un jeu ? »

Je n'ai pas compris ce qu'elle me disait, mais ça m'a frappé comme une gifle. Avant de déchiffrer le sens des mots, mon cerveau a décelé tout ce qu'il y avait de monstrueux dans cette phrase. Un jeu ? C'était tout sauf un jeu. J'ai fait un effort surhumain pour maîtriser mes larmes et ma colère.

« La voiture est prête, j'ai tout bricolé comme il fallait, j'ai juste besoin d'un orage. Et vous m'avez

dit que vous pouviez faire cet orage. Ça va marcher ! Ce soir, on revient en arrière et on sauve mon
petit frère. Vous me l'avez dit ! On sauve mon petit
frère, on sauve le glacier et les images arrêtent de
me manger la tête. Vous me l'avez dit ! »

Là, ce sont ses larmes à elle qui ont commencé
à couler. Elle a pris mon visage dans ses mains et
elle a fait « non » de la tête.

« Je suis désolée.

– Mais vous êtes une fée... »

Elle a encore fait « non » de la tête.

Je devais courir. Juste courir. Fuir cette phrase :
« Mais... Tu sais que tout ça n'est qu'un jeu ? »

Je suis sortie de la maison, sortie de la griffe, je
suis arrivée dans le champ de maïs. J'ai couru si vite
que j'avais la sensation que mes jambes avaient du
mal à me suivre. Les feuilles coupantes me tailla-
daient les joues, mais je m'en fichais. Si elles avaient
pu me découper entièrement, me faire disparaître en
tout petits lambeaux de chair qui seraient tombés
comme une pluie rouge sur le champ de maïs, je leur
en aurais été reconnaissante. Je suis arrivée à la pente

de sable et j'ai sauté. Là aussi, j'aurais voulu m'écraser en bas, que tout s'arrête. Entendre une dernière fois le rire de la hyène puis le silence. Et l'obscurité. Mais j'ai juste atterri quelques mètres plus bas, dans le sable jaune. J'ai sangloté là quelques minutes. J'enfonçais mes doigts dans le sable, griffais la terre humide à m'en casser les ongles. Le soleil rasant du matin est venu lécher les larmes. Un vent chaud, léger comme une ombre, a embrassé mes cheveux. Ils semblaient vouloir me calmer. Ça n'a pas fonctionné. Une rage brûlante s'est infiltrée en moi aussi sûrement que si on me l'avait injectée dans la gorge. Je suis allée jusqu'à la voiture à remonter le temps. J'ai attrapé une barre de fer et j'ai frappé. Frappé le pare-brise, frappé le capot, frappé le micro-ondes, frappé toute cette année de travail, de dessins, de recherches et d'espoir.

« Et alors ? » Le proprio est arrivé. Je l'ai regardé bien droit avec ma barre de fer. J'ai eu l'idée de le frapper aussi. Il fallait qu'il paie, que quelqu'un paie, n'importe qui. Ce qui me déchiquetait l'intérieur devait sortir et manger quelqu'un. J'ai bondi. Le proprio a attrapé la barre d'une main et m'a cogné le visage de l'autre. J'ai été projetée contre une voiture. Le choc a été si violent que je n'ai pas pu respirer pendant quelques secondes. Il m'a regardée. Il était rouge et ses veines sortaient de son cou. Il avait toujours la barre de fer en main. Il s'est approché, a levé la barre au-dessus de sa tête et a hurlé :

« Sors de chez moi, sale gamine ! »

Je me suis relevée et j'ai couru vers la pente de sable, les racines, le champ de maïs, le petit bois et ma maison. Pour la première fois de ma vie, ma maison m'est apparue comme un refuge et je n'étais pas certaine que ce soit une bonne nouvelle. Je suis repassée par l'avant pour ne pas me faire remarquer. Dans sa chambre, Gilles jouait sans faire de bruit. Je me suis allongée sur mon lit et j'ai attendu que tout s'éteigne dans mon ventre. Puis j'ai réfléchi. Mon problème le plus urgent était la défense d'éléphant. Il fallait aller la rechercher chez Monica et la remettre à sa place sans que mon père le remarque. Je me suis relevée. L'idée de retourner chez Monica me laissait une sensation bizarre. Entre l'envie et le dégoût.

En descendant, j'ai pris Dovka avec moi. La plupart du temps, mes parents ne posaient pas de questions sur mes allées et venues. Mais par précaution, je préférais avoir l'excuse d'une promenade avec le chien. Je suis sortie. Sur la terrasse, derrière sa tasse de café, mon père observait ma mère qui donnait du foin aux chèvres. Elle leur chantait des chansons. Elle disait que ça leur faisait du bien. Surtout à Cumin, qui, d'après elle, avait un tempérament névrotique. C'était une sale bête, oui. Un bouc agressif et vicieux. Mais ça n'était pas sa faute, c'était comme Coco, il ne supportait pas d'être en cage. En plus, cet enclos était trop petit pour cinq chèvres. Mais ma mère refusait de se séparer de l'une d'entre elles. Alors elle leur chantait des chansons. Et mon père l'observait. Lui, ça n'avait pas l'air de l'apaiser, ces chansons. Au contraire. Il avait sa mimique. Sa bouche se tordait. Du côté droit, la commissure se baissait, comme un enfant qui va commencer à pleurer, et du côté gauche, sa lèvre supérieure se levait, comme un chien qui grogne. Et il faisait des mouvements bizarres avec sa mâchoire.

Je suis sortie par le jardin. La voix de mon père a claqué derrière moi : « Où tu vas ? » J'ai sursauté.

« Promener Dovka.

– T'as un amoureux, c'est ça ? » Il a eu un rire sec.

« Non, non.

– Si tu crois que j'ai pas vu ta tête de cachottière. T'as un amoureux ! » Il a ri encore.

« Mais non, je... »

J'ai filé. Il savait que je cachais quelque chose. Il ne savait pas quoi, mais il l'avait senti. La peur m'a fait recommencer à pleurer.

Je suis arrivée chez Monica comme ça, les joues brûlantes et trempées. Je me fichais de ce qu'elle pouvait bien penser. Je voulais juste récupérer cette défense le plus vite possible. Elle m'attendait dehors sur le tronc d'arbre. La défense emballée dans sa serviette était posée à côté d'elle. Je l'ai prise en marmonnant : « Je dois la remettre à sa place. » Monica a pris mon poignet : « Attends, la gosse. » Sa voix était cassée. Et elle aussi, elle avait les joues rouges.

« Je t'ai baratinée sur l'orage mais pas sur le reste. Pas sur Marie Curie. T'as du cran, microbe.

Le cran de ceux qui font de grandes choses. T'en as pris une solide dans la tronche aujourd'hui, mais... bats-toi encore. Je suis désolée, je suis pas une fée. Mais toi, t'es pas n'importe qui, madame. Et ceux qui te diront le contraire, tu leur diras bien de ma part qu'ils peuvent aller se faire enculer. »

J'avais pas envie de l'écouter, je voulais juste que cette défense retrouve sa place sur le mur qu'elle n'aurait jamais dû quitter. Elle a serré mon poignet plus fort.

« Tu reviendras me voir ? »

J'ai fait « oui » de la tête en sachant que je ne le ferais pas. Je voulais juste qu'elle me lâche. Je suis repartie vers le Démo. Depuis le petit bois, je pouvais voir notre maison et notre jardin. La végétation me permettait d'observer sans être vue. Ma mère chantait toujours dans l'enclos des biquettes, mais mon père n'était plus sur la terrasse. Je ne pouvais pas prendre le risque de rentrer dans la maison avec la défense sans savoir où il était. J'ai fait le tour par la rue. La petite allée qui menait vers la porte d'entrée était bordée de buis au pied desquels j'ai pu dissimuler mon paquet. Je suis entrée sans bruit. Le son de la télé m'a avertie que mon père se trouvait exactement là où je l'espérais, sur son canapé. Je suis allée rechercher la défense dans le buis.

Quand j'ai franchi la porte d'entrée, Coco m'a accueillie avec son cri. J'ai refermé la porte aussi silencieusement que possible. Le hall d'entrée était frais comparé à la chaleur de dehors. La peau de mes jambes a frémi. En me faufilant vers l'escalier, j'ai eu la sensation d'être poursuivie par la hyène. Je pouvais presque sentir son haleine chaude dans le bas de mon dos. Une boule d'angoisse incandescente a carbonisé ma poitrine. Je ne parvenais presque plus à respirer. J'allais arriver en haut des escaliers.

« Eh bien ? »

Je me suis liquéfiée. Mon père me scrutait depuis l'embrasure de la porte du salon. Je l'ai regardé. Mon corps s'est transformé en une grande flaque de sang qui s'est déversée en cascade sur les marches. Il ne restait de moi que deux globes oculaires nus sur le parquet, qui regardaient mon père. J'ai compris ce que ma mère devait ressentir quand ses colères montaient. J'ai compris ce que c'était d'être une amibe. J'aurais mille fois préféré être une amibe plutôt que de subir le sort qu'il me réservait. Je n'ai pas pu articuler un son. Une flaque de sang, ça ne parle pas.

« Il était content de te voir, ton amoureux ? Ah ah ah ah ah ! »

Son rire. Son rire, c'étaient les anneaux du python qui vous enlacent avant de vous étouffer. J'ai dû hocher la tête.

« C'est quoi ça ? »

De la mâchoire il a désigné la serviette.

« … Des trucs… que j'ai ramassés dans les bois pour un bricolage. »

Son œil gauche s'est crispé, sa bouche s'est tordue. Il m'a regardée comme il regardait ma mère chanter à ses chèvres. Puis ses yeux se sont posés sur la serviette. Il a amorcé un pas en avant. Les perruches ont crié dans le jardin et Coco leur a répondu. Moi je ne voyais plus mon avenir. Normalement, j'avais une vision assez précise de mon futur à court terme, ce que j'allais faire de ma journée, de ma semaine, ce que j'allais manger, lire. Là, tout est devenu blanc. Mon père allait découvrir la défense et tout allait glisser, sans que je puisse imaginer le résultat.

Le générique du journal de treize heures a résonné depuis le salon. Mon père s'est immobilisé. Sa tête a fait quelques allers-retours entre la télé et la serviette. Puis il est retourné s'asseoir sur sa peau d'ours.

Dans mes lectures, j'avais appris que l'hormone du stress et de la peur s'appelait l'adrénaline. Je devais faire une overdose d'adrénaline parce que je ne voyais presque plus rien. Un brouillard noir percé des quelques points phosphorescents avait envahi ma tête. Je me suis servie de ma mémoire sensorielle pour monter à l'étage et arriver à la chambre des cadavres, comme quand je marchais dans le noir la nuit pour aller faire pipi. Je suis entrée. Gilles était là, près de la hyène. J'ai déballé la défense et l'ai reposée sur ses crochets. Il m'a regardée faire avec son petit visage inexpressif. Je n'avais pas envie de lui expliquer. Trop long, trop compliqué.

Ce soir-là, j'ai attendu qu'il vienne se coucher

dans mon lit, comme d'habitude. Il n'est pas venu. Ni les soirs qui ont suivi. Nous n'avons plus jamais dormi ensemble.

Cet été s'est achevé comme il avait commencé. Une longue agonie. J'en attendais la fin, tout en sachant que cette fin ne me soulagerait de rien. J'ai mis quelques semaines à comprendre les mots de Monica : « T'en as pris une solide dans la tronche aujourd'hui, mais bats-toi encore. » Et si je m'étais seulement trompée de procédé ? Et si j'avais juste perdu une bataille ? Et si mon combat ne faisait que commencer ? Un combat qui durerait des années.

Finalement, on s'en foutait, il s'agissait de remonter le temps. Donc le temps n'avait pas d'importance. Rien n'avait d'importance. Je ne pouvais juste pas accepter de passer ma vie à regarder la vermine manger le cerveau de mon petit frère. Le perdre pour toujours. Même si je devais y consacrer toute mon existence, je changerais ça. Ou je mourrais. Il n'y avait aucune autre solution.

Donc la science. Juste la science. La magie,

c'était mort. Un truc pour les enfants. Et je n'étais plus une enfant.

L'année scolaire a recommencé.

Le 26 septembre, Gilles a eu huit ans. Mon père lui a offert un abonnement au stand de tir.

Cette année-là, je rentrais au collège. Tout était différent. Les garçons commençaient à courir après les filles et les filles faisaient semblant d'être des femmes. Tout ce petit monde s'agitait, intégralement absorbé par le grand chantier hormonal. Chacun arborait la preuve de son entrée dans la puberté comme un trophée. Ici, un embryon de moustache, là un bourgeon de poitrine. Je me sentais un peu étrangère à cette faune hystérique. Surtout quand leur instinct grégaire les rendait agressifs. Il y avait cette fille dans ma classe. Je ne sais pas pourquoi, les autres se moquaient d'elle.

Tout le temps. Sans motif particulier. Je crois qu'ils avaient juste besoin de purger leur trop-plein émotionnel. Et c'était tombé sur elle.

Moi, je me suis passionnée pour les cours de sciences. Et plus particulièrement pour le cours de physique. Je voulais comprendre comment fonctionnaient les lois de la temporalité, le principe de causalité, le paradoxe métapsychologique, la courbure de l'espace-temps. D'après le principe de causalité, l'effet ne peut précéder la cause. Et c'est ce qui, en théorie, rendrait le voyage dans le temps impossible. Mais certains scientifiques réfutaient cette théorie et parlaient de « causalité inversée ». S'il existait la moindre possibilité de revenir en arrière, je devais la trouver et l'exploiter. Pour retrouver le rire de Gilles, ses dents de lait, ses grands yeux verts...

Mes professeurs étaient ravis par ma curiosité et ce qu'ils appelaient ma « vivacité d'esprit ». En réalité, c'était juste une histoire de motivation. S'ils avaient su que le rire d'un petit garçon en dépendait... Mais je ne pouvais pas leur expliquer ça...

L'été suivant est arrivé et, avec le début des vacances, les disparitions de chats ont commencé. Des chats du quartier. On voyait des affichettes partout dans le Démo. Des gamins et des gamines désespérés sonnaient à toutes les portes avec de grands yeux éplorés, brandissant une photo de leur petit compagnon à quatre pattes, menant leur enquête pendant des jours, comme Gilles et moi lors de la disparition de Dovka. Moi, je n'ai toujours rien dit. Mais je savais. Que Gilles était devenu un serial killer. Le Jack l'Éventreur des chats du Démo.

J'en ai eu la preuve en partant me promener un soir avec Dovka. Gilles n'était pas là. Il était parti au stand de tir avec mon père. C'était devenu leur rituel du samedi après-midi. Une nouvelle relation s'était installée entre eux. Depuis qu'il était capable de tenir une arme entre ses mains, Gilles semblait digne de l'attention de notre père. Ils commençaient à avoir des conversations auxquelles je ne comprenais rien, où il était question de Smith & Wesson, Beretta, Pierre Artisan, Browning... Tel calibre pour tel animal. Comment transpercer la peau d'un rhinocéros ? Comment pulvériser un organe vital à plusieurs centaines de mètres de distance ?

Pour l'heure, mon frère devait patienter avant de pouvoir participer à une partie de chasse. Il fallait qu'il apprenne à tirer sur des cibles immobiles d'abord. Sa physionomie continuait de se modifier. Il n'avait plus rien d'un petit garçon. Il avait huit ans et sa chimie interne avait muté. J'étais certaine que c'était la vermine qui poursuivait son travail de pollution. Même son odeur n'était plus la même. Comme si son parfum avait tourné. Il dégageait quelque chose d'inquiétant, c'était subtil, mais je le sentais. Ça sortait de son sourire. Ce que j'appelais son nouveau sourire. Une grimace qui disait : « Fais encore un pas vers moi et je te bouffe la gueule. » Le sourire de mon frère puait. Mais je gardais son secret.

Ce jour-là, je cherchais une vieille cassette sur laquelle j'avais enregistré une compil des Cranberries. Ne la trouvant pas dans ma chambre, je suis allée voir dans celle de Gilles. Elle était cachée dans un tiroir de son bureau. Je l'ai mise dans mon Walkman et suis sortie avec Dovka. Chaque jour, j'allais la promener. J'aimais marcher dans les champs et les bois. Et elle aimait courir derrière les lapins. C'était son côté chien de terrier. J'aimais la nature et sa parfaite indifférence. Sa façon d'appliquer son plan précis de survie et de reproduction, quoi qu'il puisse se passer chez moi. Mon père démolissait ma mère et les oiseaux s'en foutaient. Je trouvais ça réconfortant. Ils continuaient de gazouiller, les arbres grinçaient, le vent chantait dans les feuilles du châtaignier. Je n'étais rien pour eux. Juste une spectatrice. Et cette pièce se jouait en permanence. Le décor changeait en fonction de la saison, mais chaque année, c'était le même été, avec sa lumière, son parfum et les mûres qui poussaient sur les ronces au bord du chemin.

Souvent, je croisais la Plume qui promenait son petit garçon, Takeshi, dans sa poussette. Alors on faisait un bout de chemin ensemble. Elle sentait toujours la pâte à modeler. J'avais fini par cerner ses habitudes et j'adaptais mes heures de promenade pour augmenter mes chances de la croiser. Elle parlait beaucoup et j'aimais bien sa voix. Elle avait un drôle de petit accent que j'associais à la ratatouille.

Sans que j'en sois réellement consciente, ces moments passés avec la Plume m'étaient devenus indispensables. Elle m'avait expliqué qu'elle travaillait comme éducatrice dans un lycée de la région et que le champion de karaté y était prof de gym.

« C'était un vrai champion, tu sais. Il y a quelques années, il a même été sélectionné pour les Championnats du monde à Sidney. Mais la veille de son départ, il est tombé en sortant de sa douche. Coccyx cassé. Sa carrière s'est arrêtée là. Il ne s'en est jamais vraiment remis. »

Ce jour-là, donc, je suis partie avec Dovka et je suis passée par le Démo en espérant voir la Plume. Plus il y avait de soleil, plus les façades semblaient grises. Par contraste, ce quartier gagnait en mocheté à mesure que la météo embellissait. La lumière révélait toute l'ampleur de sa noirceur. Comme un constat brutal. Je comprenais que, même lorsque les conditions étaient optimales, cet endroit serait toujours désespérant de laideur. Je suis passée devant un jardin minuscule dans lequel un homme très gros dormait en slip de bain sur une chaise longue en plastique sale. Sa peau était blanche en dessous, rouge au-dessus. J'ai pensé à une panna cotta à la framboise. Un peu plus loin, un autre homme, très gros aussi, lavait sa voiture, torse nu. Je me suis souvenue du torse du champion de karaté et je me suis demandé comment il était possible d'avoir deux torses si différents dans la même espèce animale. Je commençais à avoir des raisonnements scientifiques, à force d'étudier.

J'ai croisé une petite fille qui devait avoir l'âge de Gilles, peut-être un peu moins. Sur un poteau de signalisation, elle a collé une affichette avec la photo d'un chat. J'ai baissé les yeux et pressé le pas. Je suis arrivée devant la maison de la Plume. Elle était en train de sortir avec sa poussette. Juste à temps. Quand je l'ai rejointe, elle m'a souri. On est sorties du Démo pour aller vers les champs. Takeshi s'est vite endormi dans sa poussette. Je me disais que s'endormir en se faisant promener au soleil dans une poussette devait faire partie des plus grands plaisirs de la vie. La Plume a ramené ses cheveux en arrière d'un léger mouvement de tête. « Je suis enceinte, elle a dit. D'une petite fille. » Quelque chose dans sa voix a transformé mon cœur en boule à neige. Elle l'a secouée et des milliers de particules scintillantes se sont agitées à l'intérieur de moi. Ce bébé n'était pas encore né et il avait déjà généré chez sa mère des quantités d'amour plus importantes que ce que j'avais pu produire chez mes deux parents réunis en douze ans d'existence. Loin d'en concevoir une quelconque amertume, j'y voyais une forme de consolation, de sécurité. À cet instant-là, j'ai réalisé que j'aimais la Plume.

Nous avons marché en bavardant pendant une petite heure, avant de revenir vers le Démo, puis elle est rentrée chez elle. Dovka et moi avons repris le chemin de la maison. Le type dormait toujours sur sa chaise longue mais sur le ventre, cette fois. Il était rouge partout maintenant. J'ai pensé à un mélanome malin.

Je me suis rappelé que j'avais pris mon Walkman. J'ai mis les écouteurs sur mes oreilles et j'ai appuyé sur « play ». Ce que j'ai entendu m'a lacéré les tripes. Ce n'était pas la voix de Dolores O'Riordan, des Cranberries. C'étaient des cris. Des cris de chats torturés. J'ai reconnu la détresse que j'avais entendue dans les couinements de Helmut. J'ai arraché les écouteurs de mes oreilles en retenant un vomissement. J'avais déjà noté qu'à chaque fois que la camionnette du glacier passait, Gilles écoutait son Walkman. Je savais qu'il faisait ça pour ne pas entendre la *Valse des fleurs*. Mais je croyais qu'il mettait de la musique.

Je ne savais pas ce que je devais faire de cette cassette. Ma première idée a été de la détruire pour empêcher la vermine de sa tête de se nourrir de ces hurlements. Je me rappelais cette scène qui m'avait terrifiée dans *Jurassic Park*, où on faisait descendre grâce à un treuil une vache dans un harnais en acier dans l'enclos des vélociraptors. On voyait juste la végétation bouger. Au bout de quelques secondes, le harnais remontait, vide et désarticulé. La vermine dans la tête de mon frère était aussi vorace et vicieuse que les vélociraptors de *Jurassic Park*. D'un autre côté, j'ai eu peur que, ne trouvant plus sa cassette, il décide d'en enregistrer une autre. Mon silence me rendait déjà suffisamment complice, je ne voulais pas me rajouter d'autres animaux martyrisés sur la conscience. Lorsque je suis rentrée, j'ai eu juste le temps de la remettre à sa place avant qu'il ne revienne du stand de tir.

Le rapprochement entre mon père et mon frère renforçait mon sentiment d'isolement. Ma relation avec Gilles était foutue tant que je n'aurais pas changé le passé. Et je savais que je ne pouvais pas espérer de proximité avec mon père parce que j'étais une fille. Même si j'avais voulu m'intéresser aux armes et à la chasse, je n'aurais pas été admise dans leur club. Parfois, j'essayais d'entrer dans leur discussion et ça se soldait systématiquement par un « Tu peux pas comprendre ». Ça ne me révoltait pas. J'acceptais comme une évidence qu'un garçon valait plus qu'une fille et qu'il y avait des domaines auxquels je n'avais pas accès. C'était normal, c'était comme ça, c'était probablement génétique. Et puis c'est vrai que j'imaginais mal Marie Curie avec un AK-47 entre les mains. Mon père avait un héritier et ça ne pouvait être qu'un garçon. Je savais que s'il avait fait deux enfants à ma mère, c'était pour avoir un fils. Si Gilles avait été une fille, ma mère aurait dû supporter une troisième grossesse.

Ce qui me frappait, c'était que mon père n'avait commencé à manifester de l'intérêt pour Gilles qu'à partir du moment où la hyène s'était installée dans sa tête. Je crois qu'il aimait la vermine et qu'il faisait tout ce qu'il pouvait pour la nourrir. Moi, je m'éloignais et j'étais de plus en plus seule. Et puis, cette année-là, mon corps avait beaucoup changé. Tout s'était arrondi. Mes seins, bien sûr, mais aussi mes cuisses, mes hanches, mes fesses. Je ne savais pas quoi faire de tout ça. Je n'y prêtais pas trop attention. Mais je voyais bien que le regard des autres changeait en même temps que mes formes. Surtout celui de mon père. J'étais passée du statut de petite chose sans intérêt à celui de petite chose repoussante. J'avais l'impression d'avoir fait quelque chose de mal. Parfois, je surprenais le regard de Gilles sur le relief de mes seins sous mon tee-shirt et j'y voyais presque du reproche. J'avais la sensation de devenir une créature répugnante.

La logique aurait voulu que je me rapproche de

ma mère, mais comment avoir une relation avec une amibe ? J'avais essayé, mais sa conversation se limitait à des réflexions basiques. « Termine ta purée », « Tu as besoin de nouvelles chaussures », « Ce soleil va faire du bien au psoriasis de Muscade », « Les animaux sont plus gentils que les humains. » Malgré tout, j'aimais bien lui donner un coup de main dans le jardin de temps en temps. Une après-midi passée à arracher les mauvaises herbes en silence me donnait l'impression d'une certaine forme de complicité.

Chaque année, le dernier week-end du mois d'août, il y avait une braderie dans le Démo. Une poignée de forains prenaient possession des rues et y installaient leurs stands aux effluves gras et sucrés. Barbapapa, pêche au canard, tir à la carabine, autos tamponneuses. Les gens du lotissement étalaient le surplus de leurs greniers devant leurs maisons. Ils sortaient de chez eux et se saluaient, ce qui me faisait croire que quelque chose était en train de changer, que les gens allaient se rencontrer vraiment, créer des liens qui pourraient ressembler vaguement à de l'amitié ou de l'amour. Mais sitôt les forains partis, chacun s'en retournait à sa prostration solitaire, devant sa télé, cultivant, au choix, dépression, aigreur, misanthropie, apathie ou diabète.

Avec ma mère et mon frère, on allait s'y promener chaque année. J'adorais les smoutebollen, des beignets saupoudrés de sucre glace, même si, depuis l'épisode du vieux glacier, je nourrissais une certaine appréhension pour ces gens qui travaillaient devant de grandes cuves d'huile bouillante. Je voulais toujours douze smoutebollen. Ma mère me disait à chaque fois qu'avec huit, j'en aurais largement assez, mais je n'en démordais pas, j'en voulais douze. Alors elle m'en achetait douze, à chaque fois. Et j'en mangeais six, à chaque fois.

L'année précédente, mon frère avait fait un carton plein au tir à la carabine. Il avait saisi le fusil, y avait inséré les petites boules de plomb et avait atteint la cible, en la regardant à peine. À croire que l'idée de transpercer un objet inanimé ne l'intéressait pas plus que ça. Cette année-ci, ça ne l'amusait plus du tout. Il avait le stand de tir, avec de vraies armes. Pour la première fois, il avait refusé de nous accompagner, ma mère et moi.

En passant devant le stand de pêche au canard, ma mère a fusillé du regard le forain qui offrait aux enfants des poissons rouges dans un sac plastique. C'est pour cette raison que je n'ai jamais pu jouer à la pêche aux canards. Il était hors de question de donner le moindre sou à ce bourreau d'animaux. Un peu plus loin, j'ai vu la Plume. Elle vendait les petits vêtements de Takeshi, qui jouait aux Playmobil sur le trottoir, à côté d'elle. Son ventre s'était déjà arrondi depuis le début de l'été. Je m'approchais pour la saluer quand une voix dans mon dos m'a arrêtée net.

« Oh, mais c'est Dovka ! »

Je me suis retournée. Le champion de karaté. Il était là, agenouillé, occupé à caresser ma chienne qui lui faisait la fête. Était-il possible qu'elle se souvienne ? Les yeux du Champion se sont posés sur moi. Son corps de cheval sauvage s'est redressé. La boule chaude que j'avais sentie se dilater dans mon ventre l'année précédente avait mûri. Cette fois, en plus de la chaleur qu'elle diffusait dans mon corps, il s'en propageait un parfum de cassonade, une sensation de douceur humide, dans laquelle j'ai eu envie de me blottir.

Sans comprendre pourquoi, j'avais le sentiment de trahir mon petit frère en autorisant mon ventre à produire cette chaleur. En revanche, je savais d'instinct que ce qui se passait là, au creux de mes entrailles, nourrissait une bête capable d'affronter la hyène. Une bête puissante et sanguinaire dévouée à mon seul plaisir. Le Champion s'est approché. Son regard sur moi avait changé aussi. Il percevait la chaleur de mon ventre, je le sentais. Mais lui, ça n'avait pas l'air de le dégoûter. Le short que je portais m'a semblé trop court tout à coup. Je me suis sentie nue au milieu de cette foule. Il m'a souri. J'ai revu l'expression de son visage lorsqu'il incrustait de ses poings la tête de l'ivrogne dans son divan moisi. Cette expression hideuse de monstre pervers excité par l'odeur du sang était si éloignée de ce visage d'homme civilisé... Je me suis soudain demandé si l'incident s'était réellement produit.

« Elle a bien grandi, ta petite chienne.

– Oui.

– Mais elle garde un côté chiot, c'est mignon.

– Maman, c'est le monsieur qui m'a aidée à récupérer Dovka quand elle avait été enlevée.

– Ah oui ! C'est gentil… »

Elle n'avait pas la moindre idée de ce dont j'étais en train de parler. Son regard était fixé sur un point indéfini au loin, mais je savais qu'elle ne regardait rien de particulier. Son cerveau était juste en veille. Je me suis dit que tous les coups qu'elle avait pris de mon père devaient avoir entamé ses facultés cérébrales.

Le Champion m'a regardée quelques secondes. Je me sentais toujours nue. Puis la Plume l'a appelé. Chacun est reparti de son côté. Ce jour-là, je n'ai pas eu envie de smoutebollen. Ma mère a acheté quelques plants de gypsophile pour le jardin et nous sommes rentrées. L'été s'est terminé comme ça. Les chats ont continué de disparaître. Puis quand il n'y a plus eu de chats, ce sont des affichettes avec des chiens qui sont apparues. J'ai pris l'habitude de faire dormir Dovka dans ma chambre. Gilles devenait un étranger pour moi. Mais j'étais certaine que quelque part, à l'intérieur, mon petit frère existait toujours. Parfois, c'était fugace, je voyais une lueur sur son visage, une ébauche de sourire, un éclat dans ses yeux et je savais que tout n'était pas perdu. Et puis je m'accrochais à la certitude de revenir dans le temps et de changer le cours de nos vies.

J'ai été heureuse de rentrer à l'école pour pouvoir continuer à étudier.

À la fin de l'année scolaire, mon prof de sciences a convoqué mes parents. Ma mère est venue seule. Mon prof tenait à ce que je sois présente lors de l'entretien. Je ne l'aimais pas beaucoup parce qu'il sentait la crème aigre. Et puis il faisait des rapprochements entre des concepts scientifiques et philosophiques qui étaient intéressants, mais qui ralentissaient le cours. Et son cours était déjà beaucoup trop lent. Comme le cours de maths. Je m'ennuyais. Les autres élèves étaient distraits par leurs histoires d'amour et leurs problèmes de peau, alors ce rythme leur convenait. Ils n'avaient jamais entendu le rire de la hyène. S'ils l'avaient entendu, ils auraient compris la futilité de leurs préoccupations. Moi, je voulais avancer. J'avais treize ans et on me parlait encore de la composition de la cellule. Et je n'aimais pas non plus mon prof parce qu'il était mou. Il avait démissionné de tout. Son odeur était le premier signe de son laisser-aller, mais tout le reste suivait. D'ailleurs, tout le monde à l'école était mou. Les profs, les élèves. Les uns étaient bêtement vieux et les autres allaient vite le devenir. Un peu d'acné, quelques rapports sexuels, les études, les gosses, le boulot et hop ! Ils seront vieux et ils n'auront servi à rien. Moi, je voulais être Marie Curie. Je n'avais pas de temps à perdre.

Mais ce jour-là, mon prof de sciences semblait avoir décidé de servir à quelque chose. Il nous a accueillies dans sa salle de classe, ma mère et moi. Il y flottait une vague odeur d'oignons crus sous la lumière bleutée des néons. Il s'est adressé à ma mère.

« Bon, avec le conseil de classe on a discuté. Votre fille a des capacités exceptionnelles en sciences et en mathématiques. »

Il m'a regardée.

« On a jamais vu ça. Je sais pas d'où lui vient

cette passion, mais c'est vraiment ça : une passion. Cette année, elle connaissait la matière de tout le programme dès la fin septembre. Donc on voudrait qu'à partir de la rentrée, elle suive les cours de la classe supérieure. »

Ma mère avait le regard d'une vache à qui on aurait expliqué le principe d'indétermination de Heisenberg.

« Ah c'est bien, ça. »

Là il s'est adressé directement à moi en me tendant un bout de papier.

« J'ai un ami qui habite près de chez toi. D'habitude, je lui envoie mes élèves en difficulté pour des cours de rattrapage. Je crois que tu devrais aller le voir, vous aurez des choses à vous dire, tous les deux. Il a enseigné la physique quantique à l'université de Tel-Aviv. Tu dois le rencontrer. »

Il a pris ma main, y a déposé le bout de papier avant de la refermer et de la serrer en répétant : « Tu dois le rencontrer. » J'ai été surprise par son insistance. C'était la première fois que je le voyais vraiment concerné par quelque chose. Ma mère l'a remercié et on est rentrées à la maison. J'ai aidé ma mère à préparer le repas. J'avais remarqué que, quand mon père devenait nerveux, elle servait de la viande rouge. Comme si elle espérait que la chair sanglante calmerait sa rage. Moi, je savais que le sang ne le calmait pas. Il fallait qu'il pénètre la chair vivante, que ce soit avec son poing ou une balle de 22 millimètres.

Je me souvenais de l'épisode du steak et de l'assiette pulvérisée. Ma mère aussi. La balafre qu'elle en avait gardée sous l'œil le lui rappelait chaque jour. Depuis, elle n'osait plus cuire la viande. Elle la saisissait vaguement, mais à l'intérieur, c'était cru et froid. Ce soir-là, elle préparait un gigot d'agneau. Quand on est passés à table, mon père a demandé à ma mère pourquoi on avait été convoquées à l'école.

« Parce qu'elle a des bons points en maths, ils veulent lui faire sauter une classe.

— J'ai pas des bons points, j'ai le maximum. Et c'est en maths ET en sciences.

— Lèche-cul. » Ça venait de Gilles.

J'essayais d'ignorer ses attaques, qui devenaient de plus en plus fréquentes. Je sentais que ça avait un rapport avec mon corps qui changeait. Mais je savais aussi que ce n'était pas mon petit frère qui parlait. C'était la crasse dans sa tête. Et ça ne faisait que renforcer ma détermination.

Mon père a émis un rire vide. Puis, de sa voix basse, celle qui précédait ses attaques, il a soufflé : « C'est très bien, ça. On a une intello dans la famille. » Il a eu son mouvement bizarre avec sa mâchoire. Ce mouvement qui disait qu'il avait envie de frapper. On a continué à manger l'agneau cru en silence. Mais j'ai compris que, désormais, j'étais devenue une proie. Comme ma mère.

Sur le bout de papier que m'avait donné mon prof, il y avait un nom et une adresse : « professeur Yotam Pavlović, avenue du Baleau 11 ». C'était dans le Démo, dans le coin opposé à celui de notre maison. J'y suis allée dès le lendemain. J'ai pris Dovka avec moi parce que Gilles était à la maison et que je ne voulais pas la laisser seule avec lui. En chemin, je suis passée devant la maison de la Plume et du Champion. Je ne l'avais plus vue depuis quelques mois, je me suis dit qu'elle devait avoir accouché de sa petite fille.

Une nuée de perruches vertes a traversé le ciel.

J'ai remonté la rue jusqu'au numéro 11. C'était une maison gris et noir, comme toutes les autres, mais le jardin était soigné. Il y avait des bacs de géraniums aux fenêtres. J'ai sonné. Un homme a ouvert la porte, taille moyenne, les cheveux blancs, les sourcils noirs épais sur un regard troublant. Une barbichette tressée, avec une petite perle verte au bout.

« Oui ? »

Je lui ai expliqué la raison de ma venue. Il m'a fait entrer. Le hall était plongé dans l'obscurité.

« Ya, mets ton masque, on a de la visite. »

Je n'ai pas vu la personne à laquelle il s'adressait, mais j'ai perçu du mouvement et le son d'une radio dans le petit salon à ma droite. De la musique classique. J'ai suivi le professeur dans la salle à manger. Une table massive en chêne foncé, un bouquet de roses rouges sur un buffet assorti à la table et au mur, un immense tableau blanc laqué, couvert de schémas et de formules tracés au feutre noir.

Le professeur m'a désigné une chaise et je me suis assise. Il m'a observée quelques secondes sous ses gros sourcils. Je l'ai observé aussi. Il y avait quelque chose d'étrange chez cet homme. Un mélange d'assurance et de timidité. Mais aucune trace de violence. Il a fait rouler la perle de sa barbichette entre ses doigts.

« Pourquoi tu t'intéresses à la physique ?

– Je sais pas. J'aime bien ça.

– Si, tu sais. »

Je n'ai pas baissé les yeux.

« Mais c'est pas mes oignons, hein ? »

Il avait une drôle de façon de prononcer les mots, que je n'avais jamais entendue. J'aimais bien.

« Qu'est-ce que tu peux me dire sur la dualité ondes-particules ?

– Heu…, ce sont deux notions séparées en mécanique classique. Mais en physique quantique, on dit que c'est deux facettes d'un même phénomène.

– Quel phénomène, par exemple ?

– Ben, la lumière. Elle peut se comporter comme un ensemble de particules, les photons, ou comme une onde. Ça dépend du contexte d'expérimentation.

– Ça ne fait pas partie du programme scolaire, tu as lu ça où ?

– *Le Monde quantique*, de Stéphane Deligeorges. »

Il m'a observée encore quelques secondes. Je me

suis demandé si je devais me méfier de lui ou pas. Je percevais une âme lacérée qui, comme celle de mon père, déchiffrait mes pensées avec une aisance terrifiante.

« Tu pourrais venir me voir une fois par semaine, je t'aiderai à avancer. Tu peux me donner ton numéro de téléphone ? Je voudrais parler à tes parents. »

Il m'a tendu un stylo et un bloc-notes.

« Pourquoi vous voulez parler à mes parents ?

– Parce qu'il me faut leur accord. Et que je dois leur parler argent aussi, ça ne sera pas gratuit.

– Ma mère vous donnera son accord. Mais ils ne paieront pas. Je vais me débrouiller de mon côté. »

J'ai noté mon numéro de téléphone sur le bloc-notes.

« Par contre, si vous pouviez appeler en journée. Je préférerais que vous parliez à ma mère plutôt qu'à mon père. »

Je sentais bien qu'il ne fallait pas trop rappeler à mon père que j'aimais les sciences. Ce que j'avais vu dans sa réaction de la veille me disait que j'avançais sur un terrain dangereux. Son goût pour l'anéantissement allait m'obliger à me construire en silence, sur la pointe des pieds.

Le professeur m'a raccompagnée vers la porte d'entrée. La personne qui se trouvait dans le petit salon n'avait pas bougé, si je me fiais au son de la radio qui jouait encore. J'ai jeté un coup d'œil furtif, mais de l'endroit où je me trouvais, je ne pouvais pas la voir. Le professeur m'a saluée, il a été convenu que je reviendrais la semaine suivante.

Il fallait que je gagne de l'argent. Ce professeur était la seule personne que je connaisse avec qui je puisse parler de la dualité ondes-particules, de l'effet Aharonov-Bohm ou de l'expérience de Stern et Gerlach. C'étaient des notions qui m'étaient familières, que j'avais lues dans des livres, mais que je ne comprenais pas encore. J'ai décidé de proposer mes services de baby-sitter. Je pouvais commencer par la Plume. Avec ses deux enfants, elle aurait certainement besoin d'un coup de main. Je suis allée sonner chez elle. Elle était heureuse de me voir. Le Champion n'était pas là, j'ai senti une pointe de déception me piquer la gorge. La Plume m'a présenté sa petite fille, Yumi. Takeshi avait bien grandi. Je lui ai parlé de mon idée de baby-sitting, elle a dit « oui » tout de suite. « Avec les enfants, on a plus beaucoup de temps pour nous deux. » Elle m'a proposé un soir de la semaine suivante. La veille de mon rendez-vous avec le professeur Pavlović, c'était parfait. J'ai demandé si je pouvais venir avec Dovka. « Je peux pas la laisser seule à la maison. » Ça l'a un peu surprise, mais elle a accepté.

Restait à convaincre mon père. Les cours chez le professeur Pavlović auraient lieu en journée, pendant qu'il serait au parc d'attractions, mais les baby-sittings, je n'allais pas pouvoir les lui cacher. Je cherchais un prétexte pour avoir besoin de gagner de l'argent, quelque chose qui lui plairait. Je commençais à comprendre que la moindre volonté de ma part risquait d'éveiller son animosité. Il attendait de moi que je devienne comme ma mère. Une enveloppe vide, dépourvue de désir. Il ne savait pas qui était sa fille. Mais, à treize ans, je restais à sa merci. Il allait donc falloir le tromper, jusqu'à ce que je sois en âge de vivre loin de lui.

Le surlendemain, Gilles et ma mère étaient sortis,

j'ai saisi ma chance. Mon père s'était installé sur la terrasse pour entretenir ses armes. C'était son activité du dimanche après-midi quand il n'était pas au stand de tir ou à la chasse. Les armes, c'était la seule chose que ma mère ne devait pas nettoyer dans la maison. Même les animaux empaillés, elle devait les brosser régulièrement pour enlever la poussière. Moi, j'étais contente qu'il fasse ça sur la terrasse parce que les produits qu'il utilisait sentaient fort et quand il le faisait à l'intérieur, ça empestait la maison pendant des jours.

« Papa ?

– Mmmmh.

– Je…, je me disais que cette année, pour l'anniversaire de Gilles, je voudrais bien lui faire un cadeau. Il va avoir dix ans, c'est important… »

Il frottait le canon de son fusil avec une petite brosse spéciale.

« Oui. Et ?

– Et pour ça, j'ai besoin d'argent. Je suis assez grande pour en gagner maintenant. Je pourrais faire du baby-sitting… »

Il a posé son arme et m'a regardée comme le jour

où j'avais volé la défense d'éléphant. Il sentait que je mentais. J'ai baissé les yeux en me répétant que ça n'était pas vraiment un mensonge. Tout ça, je le faisais pour Gilles. J'ai essayé d'imiter l'attitude de ma mère, d'avoir l'air aussi transparente que possible. Il a dit « OK », a repris son fusil et a continué de le frotter. J'ai placardé des annonces proposant mes services de baby-sitter un peu partout dans le Démo.

Le soir convenu avec la Plume est arrivé. Elle m'a ouvert la porte. Le Champion n'était pas là. Elle devait le rejoindre au restaurant. Leur salon n'avait pas vraiment changé depuis que je l'avais vu pour la première fois, le jour de l'enlèvement de Dovka. Il y avait juste un peu plus de bazar. Takeshi était assis sur le canapé. Il regardait *Le Roi Lion*. Il a accueilli Dovka avec des petits cris de joie. Yumi babillait dans son parc.

La Plume m'a laissé sa liste de recommandations. « Parfois, Takeshi a mal aux jambes, elle a dit. À cause de la croissance. » Alors elle m'a montré un flacon avec une huile de massage, au cas où. Puis elle est partie rejoindre le Champion en nous embrassant tous les trois, comme si j'avais été un de ses enfants.

Je me suis assise près de Takeshi et j'ai regardé Simba parler au fantôme de son père dans les nuages. C'est là que j'ai réalisé que les studios Disney s'étaient largement inspirés d'*Hamlet* pour écrire le scénario. Le spectre du père qui parle à son fils : « N'oublie pas qui tu es », le frère du roi qui l'assassine pour monter sur le trône, le héros exilé, l'image du crâne omniprésente dans le dessin animé, la référence à la folie, incarnée par le singe. C'est juste que Horatio était devenu un phacochère flatulent.

À la fin du dessin animé, Takeshi a un peu rouspété pour aller se coucher, mais je m'en suis sortie avec deux chansons et deux histoires. Yumi s'est endormie en buvant son biberon dans mes bras. Je l'ai déposée dans son berceau sans qu'elle se réveille. Un peu plus tard dans la soirée, Takeshi a eu mal aux jambes, alors je les lui ai massées avec l'huile. J'ai regardé ses grands yeux noirs se fermer, sa bouche se ramollir, son petit corps sombrer dans un sommeil confiant. Je me suis perdue quelques minutes dans la contemplation de ce spectacle parfait et je me suis demandé si ce gamin serait jamais conscient de l'incroyable chance qu'il avait. D'être né ici. D'être le fils de la Plume et du Champion. D'être aimé de cet amour-là.

Je suis retournée dans le salon et j'ai passé le reste de la soirée à regarder n'importe quoi à la télé. Je me suis dit qu'avec une bouteille de Glenfiddich, j'aurais été la digne fille de mon père. Je commençais à m'assoupir lorsque la Plume est rentrée. Le Champion m'attendait dans la voiture pour me ramener. Elle m'a donné mes sous et m'a embrassée. Je suis montée dans la Golf du Champion. J'ai dit : « J'aurais pu rentrer à pied, c'est juste à côté. » Il m'a souri et a répondu : « On ne sait jamais. »

La boule de chaleur dans mon ventre a bondi jusqu'à ma gorge, rendant ma respiration courte et saccadée. Je me suis assise dans la voiture, mon corps à quelques centimètres du sien. Quand il a posé sa main sur le levier de vitesses, elle a frôlé mon genou. La boule de mon ventre est descendue entre mes jambes. Quelque chose s'est mis à palpiter là. Je crois que si le Champion m'avait touchée à ce moment-là, je me serais évanouie. Ce qu'il avait fait à l'ivrogne me faisait peur. J'en concevais une crainte qui confinait au dégoût. Et malgré tout, cette chaleur... Il a dit : « Tout s'est bien passé ? » J'ai dit : « Oui. »

Les deux cents mètres qui séparaient sa maison de la mienne ont été parcourus en moins de quinze secondes. Ce trajet en voiture était complètement absurde. Il a arrêté sa Golf sur le bas-côté, le long de la haie de notre jardin. Je n'avais pas envie de le quitter. L'existence du Champion m'est soudainement apparue comme un élément indispensable à ma survie. J'aurais voulu lui demander de me garder près de lui, toujours. Je n'aurais rien dit, rien réclamé. Juste la chaleur de sa présence. Son corps près du mien. Cette chose qui palpitait entre mes jambes. Mais il a dit : « Merci beaucoup. À bientôt ! » J'ai dit : « Merci à vous. À bientôt ! » Et je suis rentrée chez moi.

Je me suis couchée en imaginant ce qui se serait passé si ses lèvres s'étaient posées sur les miennes. Et ses mains sur mon corps. Je savais que je n'avais pas le droit de penser à ça, que c'était une mauvaise chose. Mais pendant que je rêvais au Champion, mon esprit s'en est allé loin, très loin de la hyène, et, l'espace d'un instant, j'ai oublié son existence.

Le lendemain, je suis retournée chez le professeur Pavlović. J'ai entendu le son de la radio dans le petit salon. Cette présence m'intriguait. Le professeur m'a emmenée dans la salle à manger. Il nous a préparé du thé.

« Bon, qu'est-ce que tu veux savoir ? »

Ça m'a donné le vertige, je ne savais pas par où commencer. Je n'avais pas soupçonné le nombre de questions que j'avais en matière de physique quantique. Notre entretien a commencé comme ça, de façon chaotique. Je demandais, le professeur commençait à répondre, en faisant des dessins sur son tableau blanc, je ne lui laissais pas le temps de terminer son explication et demandais autre chose. Comme une gamine affamée qu'on aurait lâchée dans une pâtisserie.

À l'école, ma gourmandise d'apprendre était brimée, chaque porte que je voulais ouvrir était verrouillée par l'ignorance de mes enseignants. Ici, j'avais quelqu'un qui me les ouvrait toutes, patiemment, et me laissait entrevoir l'immensité des territoires à explorer. Je savais que mon plaisir était partagé. Quand le professeur parlait de physique, j'avais l'impression de voir un artiste sur scène, il entrait presque en transe, grisé par sa passion. Il m'en apprenait autant sur la physique en elle-même que sur l'histoire des grands scientifiques.

Il était en train de me parler de la vie d'Isaac Newton lorsqu'il y a eu du mouvement dans le hall sombre. J'ai distingué une silhouette qui s'avançait lentement vers nous. Lorsqu'elle est sortie de la pénombre, j'ai étouffé un cri de terreur. C'était le corps d'une vieille dame en pyjama à carreaux bleus et blancs. À la place du visage, il y avait un masque. Un sourire de plâtre aux lèvres peintes en rouge, des yeux creux, des plumes et des paillettes. Un visage figé et lisse, éternellement jeune, sur un corps de vieillarde.

« Ya, nous avons une nouvelle élève. »

Puis s'adressant à moi :

« C'est Yaëlle. C'est ma femme. »

Elle a hoché la tête. Je ne distinguais pas ses yeux dans les deux trous noirs. Elle a ouvert une boîte posée sur le buffet, en a sorti quelques biscuits et m'en a tendu un. J'ai dit : « Non, merci. » Elle a fait demi-tour et est repartie vers son salon. Chacun de ses pas semblait lui demander un effort démesuré. Je n'ai pas osé interroger le professeur à son propos.

Ce premier entretien a duré trois heures et j'en suis repartie perturbée et frustrée. Perturbée par la rencontre avec Yaëlle et frustrée de devoir attendre notre prochain rendez-vous. Frustrée que toute ma vie ne soit pas un grand entretien avec le professeur Pavlović.

Il n'a pas arrêté de pleuvoir cet été-là. On aurait dit que le ciel était en deuil. De longues journées et de longues nuits mouillées, avec ce bruit de fond incessant, ce crépitement si triste qu'on aurait pu croire que la nature elle-même commençait à envisager le suicide. Même la hyène ne riait plus. Même Gilles ne semblait plus avoir le cœur à torturer des animaux. Mais moi, j'en garde un souvenir merveilleux grâce au professeur Pavlović. Et aux quelques soirées passées à garder Takeshi et Yumi. Il n'y en a pas eu plus de deux ou trois, mais elles m'ont fait l'effet d'une fontaine en plein désert. J'aimais les enfants comme s'ils avaient été mes petits frères et sœurs. J'aimais la Plume. Et j'aimais le Champion. Et surtout, chaque soirée s'était terminée comme la première, par ce petit moment à nous, juste à nous deux. Lui et moi. Ses mains qui frôlaient mes genoux en changeant les vitesses et mon corps qui s'enflammait. C'était comme un tour dans les montagnes russes, un mélange de plaisir et d'appréhension, de sensations d'une indescriptible volupté, mais d'une puissance effrayante, incontrôlable.

Quand la pluie se décidait à faire une trêve, mon grand plaisir, c'était d'aller marcher pieds nus dans l'enclos des biquettes.

Dans la terre gorgée d'eau, leurs petits sabots pointus avaient créé un véritable bourbier dans lequel je m'amusais à enfoncer mes pieds jusqu'aux chevilles. Le but du jeu étant de ne pas tomber, car cette boue était très glissante. J'adorais le contact de la terre trempée sur ma peau nue. Je jouais avec Paprika et mes courses contre lui se finissaient régulièrement par une glissade et une chute, ce qui me faisait éclater de rire. Dovka jappait et le bouc faisait de petits bonds. Parfois, Cumin chargeait et je devais me précipiter hors de l'enclos pour échapper à ses cornes. Je rentrais à la maison crottée de la tête aux pieds. Ma mère essayait de me faire comprendre qu'à treize ans, je devais commencer à adopter une attitude de jeune femme. « Les hommes n'aiment pas les souillons. » Et c'était sans doute vrai. À l'école, les filles ne jouaient plus à se battre ou à se courir derrière. C'était une activité réservée aux garçons. Elles se contrôlaient, prenaient des poses. Parfois, je les observais. Elles riaient en mettant la main devant leur bouche ou en ramenant une mèche de cheveux derrière une oreille. Les gestes étaient subtils, gracieux, comme ceux de la Plume. Moi, je savais que la subtilité et la grâce ne faisaient pas partie de mon code génétique.

D'autres familles ont commencé à m'appeler pour garder leurs enfants, le bouche-à-oreille fonctionnait. Je travaillais de plus en plus, ce qui me faisait gagner pas mal d'argent, d'une part, et me permettait d'échapper aux repas familiaux, d'autre part. Grâce à ça, j'ai pu payer mes visites chez le professeur Pavlović. Je me bâfrais littéralement de sciences, que je digérais aussi vite, affamée d'y retourner.

Je progressais rapidement. Le professeur Pavlović disait en riant qu'à ce rythme-là, j'aurais le prix Nobel de physique avant mes vingt-cinq ans. Mais derrière son rire, je percevais une réelle fascination pour le petit phénomène qu'il était en train de faire de moi.

J'avais peur de Yaëlle et de son masque, mais je n'osais pas poser de questions. J'ai compris qu'elle était muette, mais je ne savais pas pourquoi. Ni pourquoi elle portait ce masque.

Une fin d'après-midi, en rentrant d'une de mes visites chez le professeur Pavlović, j'ai ressenti un drôle de malaise en approchant de ma maison. Est-ce que c'était le silence ? Les perruches ne chantaient pas. Même le vent s'était tu. Ou est-ce que c'était l'attitude de Dovka qui restait près de moi, la queue basse, alors que d'ordinaire elle courait loin devant ? Je ne savais pas. Mais la hyène rôdait dans le coin, ça, j'en étais certaine. Pourtant, je me sentais bien ce jour-là. Même très bien. Je venais de croiser le Champion en passant devant sa maison. Il sortait de sa voiture. Quand il m'avait vue, il avait souri et m'avait saluée. Il s'était approché, avait posé sa main dans le bas de mon dos et m'avait embrassé la joue. Le contact de sa main m'avait transformée en torche vivante. Son empreinte persistait sur la peau de mes reins et irradiait en petites secousses électriques jusqu'en haut de mes cuisses.

J'étais exactement dans cet état lorsque j'approchais de ma maison. Et si la hyène ne s'en mêlait pas, je savais que cet état pouvait durer plusieurs heures.

Ma mère faisait du repassage dans le salon. Je suis montée. Gilles jouait avec sa Game Boy dans la chambre des cadavres. Tout semblait normal. Je suis allée m'asseoir dans ma chambre, sur le rebord de ma fenêtre, pour repenser au corps du Champion, à son regard, à sa main dans mon dos. Je faisais connaissance avec cette créature douce et chaude qui vivait dans mon ventre. J'aurais pu passer des heures comme ça. Un état d'absence, de plénitude, de connexion absolue avec mon corps et mes sensations.

C'est là que j'ai entendu les hurlements de ma mère, dans le jardin, sous ma fenêtre. Je ne pouvais pas la voir, à cause des branches du chêne, mais je savais qu'elle était dans l'enclos des chèvres. Je connaissais ses cris, quand mon père perdait le contrôle de sa colère et du Glenfiddich, mais c'étaient des petits cris d'amibe. Rien de comparable avec ce qui a écorché la quiétude de cette fin de journée d'été. Je suis descendue et j'ai couru vers le jardin. J'ai vu ma mère de dos, agenouillée dans la boue, penchée sur une chose que je ne distinguais pas. Je me suis approchée. Cumin. Le bouc gisait dans son sang encore frais. Ma mère, les lèvres posées sur la bouche de l'animal, tentait vainement de le ranimer. À la place des yeux béaient deux orbites sanguinolentes. Ses oreilles avaient été arrachées et gisaient à quelques centimètres de leur emplacement naturel. La gorge était tranchée si profondément que la tête ne tenait plus au corps que par la colonne vertébrale. Le corps avait été tailladé à tant d'endroits qu'il n'y avait plus un centimètre carré de pelage qui ne soit pas poissé de sang. Ma mère s'acharnait sur son bouche-à-bouche. Je l'ai regardée quelques secondes, me demandant si elle aurait lutté avec la même énergie pour Gilles ou moi. Je l'ai saisie par les épaules. « C'est fini, viens. » Elle a poussé un long hurlement. Puis les sanglots. Elle s'est tournée vers moi, m'a prise dans ses bras et a pleuré un bon moment. Un geste de réconfort mais pas seulement. J'y ai senti de l'amour. J'ai même cru y percevoir quelque chose comme : « Et s'il t'arrivait quelque chose à toi, ma chérie ? » Peut-être que je m'étais trompée. On est restées là plusieurs minutes, à pleurer dans les bras l'une de l'autre. J'ai pleuré parce que j'entendais à nouveau le rire de la hyène et que j'étais terrifiée. Mais aussi parce que je rencontrais un peu ma mère et que, soudainement, je l'ai aimée. Et puis je pleurais la perte de mon petit frère. En lui faisant massacrer Cumin, la vermine avait frappé durement son bastion de résistance, le village d'irréductibles, et je doutais qu'il puisse y rester des survivants.

Une vague de fatigue a déferlé sur moi. Je me suis

demandé si tout ça en valait la peine, si je n'étais pas trop petite, trop faible pour affronter ça, ce chaos sordide qui semblait avoir décidé d'envahir mon existence. J'ai eu envie de m'endormir et de ne jamais me réveiller. Puis j'ai eu froid. C'est aussi bête que ça. J'ai eu froid et j'ai eu envie de rentrer. J'ai pris ma mère par le bras et je l'ai emmenée dans la maison. Elle m'a suivie. Elle aussi elle était fatiguée, certainement plus que moi. Je me suis demandé comment elle faisait pour tenir le coup. Je l'ai installée sur le divan où elle a continué à sangloter. J'ai allumé la télé pour qu'elle lui tienne compagnie et je suis allée voir Gilles dans la pièce des trophées. Il était là, assis par terre, près de la hyène. De cet endroit, il ne pouvait pas ne pas avoir entendu les hurlements de ma mère.

« Pourquoi t'as fait ça ? »

Il n'a pas levé le nez de sa console.

« Pourquoi j'ai fait quoi ?

– Tu sais très bien. »

Il n'a rien répondu.

« T'as pas entendu maman crier ?

– J'avais mon Walkman. »

Il était assis, recroquevillé sur sa Game Boy. Je lui ai donné un grand coup de pied dans la cuisse. J'ai frappé fort. Ça a fait un bruit sourd. Il a ri. Il avait grandi. Son corps maigre ressemblait à un grand oiseau. Un charognard. Ses cheveux avaient foncé aussi. Il les laissait pousser. Ça lui donnait un look un peu *seventies*, complètement ringard. Malgré tout, il restait beau. Ses yeux surtout, avec leur vert surnaturel. Il ressemblait à un héros de Stephen King. Je me suis demandé quel garçon il aurait été aujourd'hui s'il n'y avait pas eu l'accident du glacier.

J'ai regardé les animaux empaillés tout autour de nous. Il semblait faire partie de leur famille. Un spécimen de petit humain parmi les spécimens des autres espèces. Absorbé par son jeu, il semblait avoir déjà oublié ma présence.

Je suis redescendue voir ma mère. Elle était toujours sur le divan. Elle avait arrêté de sangloter. Elle était prostrée, les bras repliés sur sa poitrine, et se balançait d'avant en arrière en gémissant. À la télé, une pub vantait les mérites d'une marque de steak haché. Je l'ai éteinte. C'est à ce moment que mon père est rentré de sa journée de boulot. Je lui ai expliqué ce qui s'était passé.

« Bah, ça doit être un chien. Les dégénérés du quartier ne savent pas éduquer leurs bestioles.

– Non, c'est pas un chien. Un chien n'arrache pas d'oreilles, un chien ne torture pas. Et surtout, un chien ne laisse pas une entaille aussi nette sur la gorge. »

C'était la première fois que je tenais tête à mon père et son visage me disait que je venais de commettre une grave erreur. Ma mère est sortie de sa prostration.

« Ton père sait ce qu'il dit, quand même. Il a l'habitude, il en voit tout le temps des animaux morts.

– Mais il l'a même pas vu !

– C'est un chien, je te dis. »

Fin de l'histoire.

Mon père a enterré les restes de Cumin dans le bois des Petits Pendus.

J'avais menti à mon père en disant que je voulais gagner de l'argent pour faire un cadeau à Gilles pour son anniversaire. Je devais donc lui en trouver un. Je n'avais aucune idée. Tout ce qui était susceptible de lui faire plaisir risquait de nourrir les miasmes dans sa tête. Je l'avais bien observé pendant les jours qui avaient suivi le massacre de Cumin. Il avait léché chaque goutte du chagrin de ma mère. Elle errait dans la maison, désemparée comme une chatte qui aurait perdu ses petits. Parfois, elle poussait des couinements quand sa douleur devenait insupportable. Ça s'échappait d'elle comme les jets de vapeur d'une Cocotte-Minute. Elle essayait de les contenir du mieux qu'elle pouvait, mais la pression était trop forte. Ça avait fini par agacer mon père, qui avait grogné : « Ça suffit maintenant, c'est de la sensiblerie. » Il avait eu son mouvement de mâchoire, qui n'avait pas échappé à ma mère. Sa terreur avait étouffé son chagrin. Mais mon frère avait goûté sa souffrance. Il restait hypnotisé en regardant notre mère. Ses lèvres ramollissaient, son cou se tendait et il aspirait, comme une sangsue, chaque larme qui jaillissait. Finalement, je lui ai offert Donkey Kong, un nouveau jeu pour sa Game Boy. Au moins, pendant qu'il jouait, il ne faisait de mal à personne.

L a pluie a fini par cesser et l'automne est arrivé. Je suis rentrée à l'école dans l'année supérieure. Les autres élèves avaient un an de plus que moi, mais je les voyais toujours comme une armée de crétins cruels et frivoles. Ça se reniflait le derrière, sans oser passer à l'action. Les filles avaient peur de passer pour des traînées et les garçons, pour des obsédés. Alors qu'ils étaient simplement des organismes étourdis par la cacophonie de leur système hormonal en pleine mutation. Et il n'y avait aucune honte à ça.

Mon école était un immense bloc de béton noir

bordé de quelques arbres. D'une certaine façon, il ressemblait un peu au Démo. Le charme d'un bunker, entouré d'une végétation domestiquée. Une nature qu'on tolérait encore mais qui avait perdu la bataille depuis longtemps. Les salles de classe étaient percées de quelques fenêtres, étroites comme des meurtrières. Si étroites qu'un corps n'aurait pas pu s'y faufiler. C'était une belle métaphore du système pédagogique de l'établissement. Un carcan qui ne se donne même pas la peine de donner l'illusion de la liberté. J'appréciais l'ironie de la chose. Au moins, ça avait le mérite d'être cohérent. L'image du carcan n'était pas si éloignée de la réalité. Des adolescents alignés derrière leurs bancs comme des poireaux, forcés de passer leurs journées à écouter parler des profs fatigués. Ça prenait des airs de pénitence. En tout cas, on était loin du « plaisir d'apprendre » et du « gai savoir » prônés par le discours du directeur à chaque début d'année.

Je supportais très mal l'immobilité. Une heure passée le cul sur une chaise s'apparentait à une véritable torture pour moi. J'avais besoin de mouvement. Chez le professeur Pavlović, je ne m'asseyais jamais. Je faisais des allers-retours dans la salle à manger, comme un athlète avant une compétition. Comme si le savoir avait besoin de mouvement pour aller se déposer au bon endroit. Mon corps était impliqué tout entier dans le processus d'apprentissage. Plus je grandissais, plus je prenais conscience de son existence et de sa complexité.

Donc en classe, je souffrais. Mon corps n'avait pas le droit d'exister, mon esprit affamé était mis au pain sec et à l'eau. Alors, il s'évadait par les meurtrières pour se promener dans les bois.

Je rêvais du Champion. Il me prenait par la main et me regardait, comme il m'avait regardée le jour de la braderie, quand je m'étais sentie nue au milieu de la foule. Et je comprenais qu'il m'autorisait à le toucher. Mes doigts commençaient par effleurer son bras. À l'endroit où commençait son tatouage. Je n'avais jamais eu le temps de bien voir ce qu'il représentait. Mais j'imaginais que c'était un grand symbole tribal qui parlait de moi. Mon prénom peut-être. Comme s'il m'avait attendue toute sa vie, qu'il avait eu la prescience de notre rencontre et qu'il m'avait gravée dans son épiderme avant même de me connaître. Je savais que mon corps était, lui aussi, soumis à sa grande soupe d'hormones, comme celui des autres. Et que cette grande soupe me donnait envie de me reproduire. Parce que c'est comme ça qu'une espèce se perpétue. Et que je n'échappais pas à cette règle. Et que penser au Champion créait une sorte d'ersatz d'acte sexuel et que cet ersatz libérait de l'endorphine, et que ça calmait un peu mon corps. Jusqu'au cours d'après.

Au début de l'été suivant, mon père a fait une drôle d'annonce. Il avait décidé de faire un jeu de nuit avec Gilles et moi. C'était un truc qu'il organisait avec ses copains du club de tir pour endurcir les enfants, pour qu'on s'habitue à se promener dans la forêt la nuit. « Ça peut arriver à n'importe quel moment, je ne vous préviendrai pas, vous devrez être prêts. » Il nous a offert à chacun un petit sac à dos avec une gourde, un poncho imperméable, des jumelles, quelques barres de céréales et un Opinel. Ce sac à dos devait rester à côté de notre lit, prêt à être attrapé en pleine nuit, avec un jean, un pull et une paire de chaussures de marche. Je ne comprenais pas pourquoi il me faisait participer à une de leurs activités, mais j'étais heureuse d'être admise dans leur cercle pour une fois. Même si l'idée de me retrouver au milieu des bois dans l'obscurité avec mon père et mon frère me terrifiait. Je savais que la hyène ne serait pas loin et qu'elle me suivrait à la trace. Je me couchais chaque soir la peur au ventre, guettant le moindre mouvement dans la maison. Dovka dormait à mes pieds, paisible, sans se douter de la menace qui planait. J'enviais son insouciance. Je ne m'endormais que tard dans la nuit, lorsque j'étais certaine qu'on ne viendrait plus m'arracher à mon lit.

Gilles avait raté son année scolaire. Il ne manifestait pas le moindre intérêt pour l'école. Il ne manifestait pas le moindre intérêt pour quoi que ce soit, excepté la mort. Je crois qu'en réalité il ne ressentait presque plus rien. Sa machine à fabriquer les émotions était cassée. Et le seul moyen d'en ressentir était de tuer ou de torturer. J'imagine qu'il se passe quelque chose quand on tue. On déplace un élément dans le grand équilibre de l'univers et ça génère une sensation surpuissante. Gilles s'ennuyait. Je savais que je réussirais à changer le passé un jour. Mais ça prendrait du temps et, en attendant, la vie de mon petit frère allait être une longue autoroute monotone jonchée de carcasses d'animaux.

Ma vie à moi était bien différente. J'avais des objectifs. Et même des moments de joie intense. Chacun de mes rendez-vous avec le professeur Pavlović était une promenade sur une planète neuve, qui n'appartenait qu'à moi et sur laquelle la hyène n'existait pas. Et lorsque je n'étais pas chez le professeur, je continuais à la visiter en travaillant seule à la maison. Je m'exerçais sans relâche, décortiquant les équations les plus complexes, lisant les publications scientifiques de chercheurs contemporains. Parfois, j'arrivais même à surprendre le professeur Pavlović avec des résultats de recherches dont il n'avait pas connaissance. Je rêvais d'intégrer ces équipes qui expérimentaient les lois de la temporalité. Je n'étais pas la seule à rêver de voyage dans le temps et j'étais impatiente de pouvoir rencontrer ces « autres », assez fous pour en rêver aussi. Je pensais beaucoup à Marie Curie. Elle m'accompagnait. Elle était toujours là, dans ma tête, et on se parlait. J'imaginais son regard sur moi en permanence, bienveillant, maternel. J'avais fini par me persuader que, depuis le royaume des morts, elle avait décidé de devenir une sorte de marraine pour moi. Elle adhérait à ma cause.

Le professeur Pavlović n'aimait pas l'idée du voyage dans le temps. Mais il faisait partie de ces scientifiques qui soutenaient que c'était possible. La communauté était partagée sur ce point. Stephen Hawking, par exemple, suggérait que si le voyage dans le temps était concevable, alors nous aurions déjà dû recevoir la visite de voyageurs venus du futur. Le fait que de telles visites n'existent pas démontrerait l'impossibilité de l'exploration temporelle. Je trouvais cet argument malhonnête. À supposer qu'on y parvienne, j'imaginais mal les hommes du futur débarquer en tongs et chemise hawaïenne pour jouer les touristes dans les années quatre-vingt-dix. Et puis il y avait suffisamment de phénomènes inexpliqués, attribués par les plus naïfs à des visites d'extraterrestres, pour ne pas exclure que des voyageurs du futur puissent bel et bien exister. Le professeur Pavlović soutenait en tout cas qu'une telle invention était théoriquement concevable, mais qu'elle faisait partie de ces continents de la science qu'il valait mieux ne pas explorer. Il disait : « Le voyage dans le temps, c'est comme l'immortalité, c'est un fantasme compréhensible, mais il faut apprendre à accepter l'inacceptable. L'homme veut comprendre, c'est sa bonne nature, sa nature d'enfant. Observe, comprends, explique, c'est ton boulot de scientifique. Mais n'interviens pas. L'univers a ses lois, ça fonctionne, c'est un système qui se fabrique lui-même, à la fois architecte, manœuvre et produit, tu ne seras jamais plus maligne que lui. J'ai essayé avant toi, je sais de quoi je parle. » S'il avait connu Gilles avant l'accident du glacier, il n'aurait jamais dit une chose pareille. Il y a des choses qu'on ne peut pas accepter. Sinon on meurt. Et je n'avais pas envie de mourir. Je commençais à entrevoir ce qu'il y avait de beau à vivre quand on n'avait pas un homme sans visage dans la tête.

Le professeur Pavlović avait été un éminent physicien, reconnu par la communauté scientifique pour ses travaux sur la relativité générale. Mais il avait perdu sa crédibilité à cause d'une théorie qu'il n'avait jamais pu prouver sur la dispersion des corps. Si un corps pouvait se désintégrer puis se recomposer, ça rendait possibles des idées comme le voyage dans le temps ou la téléportation. Et le professeur en était convaincu. Il prétendait que ça nous arrivait dans des circonstances particulières, notamment au moment de l'orgasme. Chaque atome du corps humain se disperserait aux quatre coins de l'univers, entraînant une désintégration totale du sujet pendant une unité de temps extrêmement courte. Puis tout se remettrait à sa place. Le phénomène se déroulerait sur une durée de l'ordre de l'attoseconde, c'est-à-dire un trillionième de seconde. Impossible à mesurer. Il avançait aussi l'hypothèse que plus l'orgasme était puissant, plus ce temps s'allongeait.

Pour prouver le bien-fondé de sa théorie, le défi était d'obtenir un orgasme d'une puissance atomique dans un corps couvert de capteurs spectroscopiques pour pouvoir observer le phénomène de désintégration.

Inutile de dire que sa théorie lui avait valu d'être la risée de ses confrères. Il avait publié quelques articles sur le sujet dans des revues spécialisées. Toutes ses demandes de financement avaient été rejetées dans un grand éclat de rire, auprès de toutes les commissions compétentes. Depuis, il boudait dans son coin, refusant les propositions de postes de professeur à l'université. Mais je sentais que, quelque part, il espérait prendre un jour sa revanche sur la communauté scientifique. Et sa revanche, c'était peut-être moi.

J'ai revu le Champion plusieurs fois cet été-là. Parfois, je le croisais dans le Démo en allant chez le professeur Pavlović ou en partant promener Dovka.

Et puis il y a eu cette soirée.

Il m'avait demandé de venir garder les enfants. D'habitude, c'était la Plume qui m'appelait. Mais là, il était tout seul, elle était partie passer quelques jours chez sa mère, dans le Sud. Il avait besoin de mon aide. La soirée s'était bien passée, comme toujours. Les enfants avaient maintenant trois ans et un an. C'était au tour de la petite Yumi d'avoir des crampes de croissance. Mais Takeshi m'a demandé un massage aussi, alors j'ai organisé une grande séance de spa dans leur chambre, en les vouvoyant : « M. Takeshi », « Mme Yumi », « Vous reprendrez un peu de tisane dans votre biberon », « La température de l'huile vous convient ? », « Oh pardon ! Je vous ai chatouillée, c'était totalement involontaire ! ». Il suffisait de presser légèrement leurs petites cuisses laiteuses entre mon pouce et mon index pour les faire exploser de rire. Je les ai mis au lit beaucoup trop tard, mais j'avais besoin de cette chaleur-là.

Quand ils se sont finalement endormis, je n'ai pas eu envie d'allumer la télé. Depuis quelque temps, je ne la supportais plus. Je crois qu'elle me faisait trop penser à mon père. Et à l'odeur du whisky. Donc, j'ai un peu tourné en rond dans la maison. Je me suis mise à observer chaque détail, chaque livre, chaque objet, chaque photo, en jouant à faire des déductions sur leur vie, leurs goûts, leurs habitudes. J'ai souri en voyant la Sega Mega Drive, avec le jeu Mortal Kombat II. Les enfants étaient trop petits pour y jouer. Il y avait une manette branchée dans la console et une deuxième rangée sur une étagère, couverte d'une fine couche de poussière. J'ai supposé que le Champion et la Plume n'y avaient plus joué à deux depuis longtemps.

Dans la bibliothèque, il y avait, tout mélangé, Reiser, Wolinsky, Gotlib, Sand, Maupassant, Zola, Christie, Austen, Dumas, Jardin, Bellemare. Et un livre dissimulé derrière les autres : *La sexualité du couple marié – Comment entretenir la flamme ?*. Je me suis attardée dessus, tout en sachant que je n'avais pas le droit. Il y avait des conseils du genre « Surprenez votre partenaire », « Faites l'amour partout sauf dans le lit conjugal », « Brisez la routine », « Partez en week-end », « Utilisez des objets ». Il y avait des annotations au crayon, d'une écriture que je devinais être celle de la Plume. D'ailleurs, la plupart des conseils semblaient être adressés aux femmes : « Portez de la lingerie sexy », « Essayez l'épilation intégrale ». J'étais si absorbée par ma lecture que je n'ai pas entendu la voiture du Champion. Il y avait un chapitre illustré avec des schémas. Et à la fin un petit carnet avec un jeu. Sur chaque page, il y avait le dessin d'un couple dans une position différente. Il fallait l'ouvrir au hasard et imiter ce qu'on voyait. La Plume avait fait des croix sur certaines pages. Je me demandais si c'était pour montrer ce qu'elle préférait ou ce qu'elle aimait moins. C'est là que j'ai senti la présence du Champion. J'ai poussé un petit cri de surprise. Il était là, à côté du canapé. Son corps musclé, moulé dans son jean et son tee-shirt blanc, avec ses clefs à la main. Son visage était écarlate, sans que je sache si c'était de l'embarras ou de la colère. Il a simplement dit : « Range ça, s'il te plaît. » Je crois qu'il n'était pas vraiment en colère. Mais l'air de la pièce avait pris une consistance spéciale. Il était épais, comme si chacun de nos gestes déplaçait de grandes quantités de matière. J'ai rangé le livre en disant : « Pardon, je... » Puis je me suis avancée vers lui et vers la porte.

« Je peux rentrer chez moi toute seule, vous ne devez pas me ramener. » Il avait l'air pris au dépourvu. Il a hésité quelques secondes avant de répondre.

« D'accord. Ça a été ?

– Oui, oui. Très bien. »

Quand je suis passée devant lui pour sortir, il a attrapé mon poignet.

« Attends. »

Il sentait l'alcool. Mais pas le whisky de mon père, quelque chose de plus léger. Probablement la bière.

« Je ne lui dirai rien pour le livre. Ça restera entre nous. »

Mon poignet était toujours dans sa main.

« D'accord. Merci. »

L'air était si dense qu'il entrait difficilement dans mes poumons. Mon corps n'avait jamais été aussi proche du sien. Je savais désormais que ce qui palpitait là, entre mes jambes, c'était mon sexe qui appelait le sien.

Je me suis rappelé que j'étais sur la branche ratée de ma vie. Un jour, je reviendrais dans le temps. Je pouvais tout essayer, je ne risquais rien. Je reviendrais à ce soir d'été de mes dix ans et rien de tout ça n'aurait jamais existé. Alors, j'ai approché mon visage du sien. J'ai senti son haleine. C'était bien de la bière. Mes lèvres se sont posées sur sa joue. Si elles s'étaient retirées tout de suite, si elles s'étaient éloignées aussi vite qu'elles s'étaient approchées, ça aurait été une simple bise. Mais comme deux aimants qu'on aurait approchés trop près, nos bouches se sont trouvées. J'ai embrassé ces lèvres qui, quelques années avant, avaient scandé : « Espèce de vieille merde ! » à l'ivrogne. Là, elles ont murmuré : « Qu'est-ce que tu fais ? » Pour toute réponse, je les ai embrassées plus fort. Alors elles se sont ouvertes et la langue du Champion est venue caresser ma bouche, tout doucement. Ses bras se sont refermés autour de mon corps, m'attirant tout contre lui. Je me suis sentie aussi fragile qu'une allumette. Sa bouche a glissé vers mon cou. Ses mains sont remontées vers mes épaules, puis sont redescendues sur mes seins. Là, sa respiration a changé, elle est devenue plus intense, la pression de ses bras s'est faite plus forte. Puis, ses mains ont attrapé mes épaules et m'ont éloignée brusquement de son corps.

« Non. Rentre chez toi. »

Il n'osait plus me regarder. Je respirais son silence. Et je ne voulais pas le quitter. Mes yeux se sont levés vers son menton. Je n'ai rien décidé. Mes lèvres ont bondi vers les siennes. Je n'imaginais pas de force assez puissante pour nous séparer. Et je ne voyais pas pourquoi ce qui se passait à cet instant nous était interdit. Je l'aimais. Et il m'aimait d'une certaine façon, j'en étais convaincue. Point. Sa langue a encore caressé ma bouche, sa gorge a émis un soupir, puis ses mains m'ont éloignée une nouvelle fois.

« Arrête ! »

Cette fois, sa voix avait été plus ferme. Il m'a regardée. Il y avait quelque chose de suppliant dans ses yeux. J'ai fait un effort surhumain pour m'éloigner de lui et pour sortir de la maison.

La nuit était claire sur le Démo. Je sentais que quelque chose m'appelait loin d'ici. J'ai eu envie de courir, dans un mélange de joie et d'impatience. J'étais remplie d'une énergie qui pouvait m'emmener ailleurs et me faire accomplir des miracles. Mais pour l'heure, je devais rentrer chez moi. Chez moi. Près de mon père, de ma mère, de mon frère et de la mort. Je suis redescendue vers ma maison et je suis rentrée. Mon père était seul dans son canapé, sur sa peau d'ours, dans l'obscurité, le visage éclairé par la lumière bleutée de la télé. Je suis montée sans faire de bruit.

Je n'avais aucune envie de dormir. J'espérais presque que le jeu de nuit arrive ce soir, j'étais de taille à tout affronter.

Lorsque je me suis déshabillée pour me mettre au lit, j'ai senti que mon sexe avait une odeur inhabituelle. L'odeur du plaisir. Je me suis endormie dans les bras du Champion. Je désirais sa présence avec une telle ardeur que je pouvais sentir son corps contre le mien. Il ne dormait qu'à quelques mètres de moi. Seul.

Mon père n'a jamais reparlé de cette histoire de jeu de nuit, si bien que j'ai presque fini par croire qu'il avait oublié. Malgré tout, je restais sur mes gardes chaque soir. Je guettais le moindre craquement dans le silence de la maison.

Devant ma fenêtre, le chêne projetait toujours son ombre menaçante. Parfois, le vent remuait l'ombre et les branches dansaient une valse macabre au pied de mon lit. J'observais ce ballet sordide le corps tendu, la gorge palpitante d'angoisse. J'attendais que mon réveil indique « 03 : 00 » avant de m'endormir.

Une nuit, vers la fin août, c'est finalement arrivé. Il était exactement 0 h 12. Il y a eu du mouvement dans la chambre de mes parents, puis j'ai perçu le pas lourd de mon père dans le couloir. La porte de ma chambre s'est ouverte, il a grogné : « C'est l'heure. » Je me suis habillée rapidement sous le regard curieux de Dovka. Un jean, de bonnes chaussures, un tee-shirt, un pull à capuche, mon sac à dos. Dovka a voulu me suivre, j'ai dit « non », alors elle est retournée se coucher sur mon lit. Je ne mesurais pas encore à quel point j'allais l'envier au cours de cette nuit.

En bas, mon frère était déjà prêt dans le hall d'entrée. Mon père m'a fixée pendant que je descendais les escaliers, comme s'il détaillait chaque partie de mon corps. Comme s'il se demandait laquelle il allait choisir de clouer à un socle en bois sur son mur de trophées. J'ai compris qu'il ne fallait pas que je les suive, que je ne devais pas entrer dans cette forêt avec eux. Mais je n'avais pas le choix. Personne ne m'avait demandé mon avis.

Nous sommes sortis dans la nuit et avons grimpé dans le 4 × 4 de mon père. Il a roulé pendant une heure, vers les arbres, vers la forêt immense. Celle qui peut vous engloutir sur des kilomètres carrés. Celle dans laquelle certains racontent que le loup serait de retour.

Il n'y avait pas un nuage dans le ciel. À mesure que nous nous éloignions des lumières du monde des hommes, les étoiles apparaissaient comme des milliers de spectatrices prenant place pour assister à une représentation. Je ne connaissais ni mon rôle ni celui des autres personnages, mais je savais que je ne devais pas monter sur cette scène.

La route était devenue plus étroite et s'enfonçait dans la forêt, au cœur des ténèbres. Les sapins se dressaient tout autour de nous comme des sentinelles. J'avais la sensation qu'ils m'attendaient. Après quelques kilomètres sur la petite route, la voiture a bifurqué sur un chemin en terre battue qui s'insinuait en pente douce vers les profondeurs de la nuit. La faible clarté de la lune s'évanouissait dans la cime des arbres, plongeant le sol dans une obscurité opaque. Les phares projetaient leur lueur sur les troncs, les faisaient surgir du néant comme des géants prêts à nous percuter. Je me disais que si un prédateur se promenait dans ces bois, il n'aurait aucune peine à nous repérer de loin. Avec la lumière des phares, nous étions une véritable cible mouvante.

Nous sommes arrivés près d'une clairière dans laquelle nous attendaient deux autres 4 × 4, deux hommes et trois garçons. En descendant de la voiture, mon frère s'est dirigé vers les garçons. J'en ai déduit que ça devait être ses copains du stand de tir. C'était la première fois que je voyais mon frère manifester de l'amitié à quelqu'un depuis l'accident du glacier. Il semblait même les considérer comme des compagnons de jeu. Une colère sauvage a suinté dans ma poitrine. Sale petit con. Qu'il ne veuille plus jouer avec moi était une chose, mais qu'il s'amuse avec d'autres enfants, ça m'a donné envie de lui enfoncer mon poing dans la gueule, tiens. Après tout ce que j'avais fait pour lui. Puis je me suis rappelé que ce n'était pas lui. Juste les miasmes qui essaimaient dans son crâne, le transformant en un petit nuage bourdonnant de giclements visqueux et d'os broyés.

Les hommes se sont tapés dans le dos, serré la

main. C'était aussi la première fois que je voyais mon père entretenir des rapports sociaux en dehors de notre cercle familial. Gilles et lui me laissaient entrevoir leur univers et d'une certaine façon, j'en étais flattée. Parmi les garçons, il y avait deux frères, qui devaient avoir dix et douze ans. Ils étaient secs et durs. Ils m'évoquaient deux cravaches dans leurs tee-shirts noirs. Minces, forts, entraînés. Leurs mots claquaient, purs et précis. Jamais flous, jamais superflus. Le plus petit m'a lancé un regard bref. Je savais qu'il m'avait scannée. Il inspecterait les détails plus tard, à son aise, dans le petit QG de sa mémoire. Le plus grand des deux était le centre de l'attention parce qu'il montrait le fusil qu'il venait de recevoir. Moi, je n'y connaissais rien, mais, apparemment, c'était une arme exceptionnelle, à en croire les exclamations admiratives des autres.

Le troisième garçon était l'exact opposé des deux premiers. Si tout en eux suggérait la rigueur et la discipline, celui-ci semblait avoir poussé de travers, au gré de ses caprices. Il était pâle et grassouillet, comme si on l'avait incubé dans une bouteille de

Coca. Il parlait fort et disait à son père qu'il voulait le même « gun ». Non, il ne disait pas, il ordonnait. Et le père riait nerveusement en expliquant que c'était quand même un sacré budget, mais il savait déjà qu'il avait perdu.

Le père des deux cravaches le regardait avec un mélange de pitié et de dégoût. Il ressemblait à un type qui fait du dressage de chiens. Je m'attendais à le voir sortir un sifflet à ultrasons pour communiquer avec ses fils. Mais c'était mon père le chef de la bande. C'était évident. Probablement grâce à la défense d'éléphant. Sans doute que, dans le monde des chasseurs, le chef est celui qui a tué le plus gros animal. Ou le plus grand nombre. Dans les deux cas, mon père gagnait largement.

Il a dit : « Bon, les enfants, vous avez votre matériel ? »

On a tous répondu : « Oui ! »

« Ce soir, vous allez participer à votre première traque. La traque c'est… »

On aurait dit qu'il évoquait le souvenir d'une histoire d'amour.

« C'est le moment où le lien se tisse entre vous

et la bête. Un lien unique. Vous verrez que c'est la bête qui décide. À un moment, elle s'offre à vous parce que vous avez été le plus fort. Elle capitule. Et c'est là que vous tirez. Ça demande de la patience. Il faut harceler votre proie jusqu'à ce qu'elle décide qu'elle préfère la mort. Vous allez comprendre que ce qui vous guide vers votre proie, ce ne sont pas vos yeux ni vos oreilles. C'est votre instinct de chasseur. Votre âme entre en communion avec celle de la bête et vous n'avez plus qu'à laisser vos pas vous mener à elle, calmement, sans vous presser. Si vous êtes de vrais tueurs, ça devrait être facile.

Cette nuit, il n'y aura pas de mise à mort. Juste la traque. Et la proie ce sera… »

Mon sang s'est figé à l'instant où il s'est tourné vers moi.

« … toi. »

L es quatre garçons ont ricané. «Le but n'est pas de lui faire mal, c'est ma fille, je voudrais la marier un jour quand même, ah ah ah! Vous ne me l'abîmez pas. La mise à mort sera symbolisée par une petite mèche de cheveux. Le premier qui m'en ramène une a gagné. Pareil, pas la peine de lui amputer la moitié de la tignasse, une petite mèche suffira.»

J'ai protesté: «Papa, non! Je veux pas! Je veux pas le faire!»

Sa mâchoire a fait son drôle de mouvement et

j'ai compris pourquoi il avait eu ce regard quand j'avais descendu l'escalier une heure et demie plus tôt. Le sang de la hyène coulait dans ses veines. Et mes supplications la ravissaient. Pour un peu, il se serait léché les babines.

De sa voix basse il a dit :

« Cours, tu as droit à cinq minutes d'avance.

– Papa, s'il te plaît, arrête. »

Les larmes sont montées et les sanglots ont serré leurs tentacules autour de ma gorge.

Mon père a déclenché le chrono de sa montre.

« Tu perds du temps. »

J'ai regardé les autres. Les deux cravaches, leur père, le petit gros, son père. Ils attendaient que je détale. Mon regard a rencontré celui de Gilles. Il m'a fait son sourire cruel, celui qui puait. Sale fils de pute. J'ai voulu hurler. Lui arracher ses affreux petits yeux de merde, y plonger mes mains tout entières pour sortir l'infection de sa tête et la massacrer à grands coups de poing en criant : « Espèce de vieille merde ! » comme le Champion l'avait fait avec l'ivrogne. J'ai entendu le rire de la hyène. Il a résonné partout, dans mon crâne, dans la forêt, dans le ciel noir de cet été qui aurait dû être beau avec sa tiédeur et son parfum d'orage.

Je n'ai pas pleuré. Il ne fallait pas pleurer. Pas pleurer. Pas donner ça à la hyène. Pas ce cadeau, encore. Je leur ai tourné le dos et j'ai commencé à courir. L'évidence m'a fait rebrousser chemin, suivre la piste en terre battue pour retourner vers la route, arrêter la première voiture qui me ramènerait au village le plus proche et de là, j'aurais pu aviser. Mais après quelques mètres, j'ai compris qu'il faudrait bien plus de cinq minutes pour qu'une voiture ne passe sur cette petite route déserte au milieu des bois. Et que j'y serais à découvert, une proie facile. Alors j'ai bifurqué vers la forêt et sa noirceur épaisse comme une mer de goudron. Je devais disparaître avant tout. M'éloigner de mes poursuivants au maximum. Après, je pourrais regagner la route. Pour l'heure, je devais fuir. J'ai couru si vite que je ne voyais plus où je posais les pieds. Plus je courais, plus mon statut de proie se confirmait et plus je paniquais. J'avais la sensation de voler. Le tapis de feuilles mortes de l'automne précédent bruissait sous mes pas. Je mettais mes bras devant moi pour protéger mon visage des branches que je ne distinguais pas dans l'obscurité et qui semblaient vouloir me crever un œil. Je priais pour ne pas rencontrer une clôture de fils de fer barbelés. Je n'avais pas la moindre idée de la direction à prendre, alors je continuais, droit devant, aussi vite que mes jambes me le permettaient. L'étendue d'arbres me paraissait infinie, il me semblait que j'aurais pu courir comme ça pendant des jours avant de retrouver un semblant de civilisation.

Je suis arrivée au pied d'une côte raide d'une dizaine de mètres de hauteur. D'un côté, la grimper allait me ralentir, mais je me disais qu'une fois au sommet, j'aurais un point de vue sur les autres et que ça pouvait être une bonne cachette en attendant de pouvoir regagner la route. De toute façon, je n'allais plus être capable de courir à cette vitesse très longtemps. La panique me comprimait la gorge et mes poumons étaient en feu. Je n'avais aucun moyen de mesurer le temps qui s'était écoulé depuis que mon père avait déclenché son chrono, mais quelque chose me disait qu'on devait approcher des cinq minutes. Comme pour répondre à ma question, un cri a déchiré la nuit derrière moi. Mon sang bourdonnait dans mes oreilles, je n'ai pas distingué le mot exact. Ça ressemblait vaguement à un « Tooooooop ! » et j'en ai déduit que ça devait être le signal de départ de la chasse, comme quand on jouait à cache-cache avec Gilles dans le cimetière de voitures. J'ai parcouru les derniers mètres qui me séparaient du haut de la côte et me suis jetée contre un gros tronc. Dans la pénombre, mon corps et celui de l'arbre pouvaient facilement être confondus. J'essayais de reprendre mon souffle le plus silencieusement possible, mais ma gorge sifflait. L'air avait toutes les peines du monde à pénétrer ma trachée qui s'était réduite à un trou minuscule, comprimée par l'effort, la terreur et les sanglots. J'ai senti le désespoir me gagner, des torrents de larmes montaient vers mes yeux, menaçant de me transformer en une petite boule hoquetante sur son tapis d'épines. Mais ma colère s'est interposée, s'abattant sur les torrents de larmes comme un soleil incandescent. Mon désespoir a séché et quelque chose a durci à l'intérieur de moi. L'air s'est remis à circuler normalement dans ma trachée.

Je tendais l'oreille pour tenter de mesurer la position de mes poursuivants, mais seuls les bruits de la forêt me parvenaient. Un hibou chantait à quelques mètres de moi. À moins que ça ne soit une chouette. Le vent soufflait dans les branches. Un silence à la fois rassurant et inquiétant enveloppait la nuit. J'évaluais la situation. Si je restais cachée là, sans bouger, je ne voyais pas comment ils allaient pouvoir me retrouver. Les ténèbres, aussi terrifiantes qu'elles puissent être, étaient mes meilleures alliées. On ne pouvait ni m'entendre ni me voir, à moins de se tenir à moins de deux mètres de l'arbre au pied duquel j'étais blottie. Mais là, une évidence m'a percutée avec la délicatesse d'un semi-remorque. À partir du moment où j'avais quitté le chemin en terre battue, j'avais couru tout droit. Il leur suffisait de suivre la direction que j'avais prise depuis l'endroit où ils m'avaient vue m'enfoncer entre les arbres, et elle les mènerait droit sur moi, au sommet de la côte.

Mais quelle conne ! Pourquoi je n'avais pas

pensé à prendre une tangente dans ma course ! Ça maîtrise des notions de physique quantique et ça n'est même pas foutu de ruser un peu face à une bande de chasseurs prépubères ! Il fallait que je conserve mon avance, en progressant le plus furtivement possible. Restait à espérer que mes pas me guideraient hors de cette forêt. Je me suis relevée en tournant le dos à la pente. Mon premier pas a lacéré le silence. Les aiguilles de pin mêlées aux branches sèches ont émis un craquement sinistre. J'ai imaginé tous les prédateurs de la région dresser l'oreille et tendre leur museau dans ma direction. Quitte à briser le silence, autant maintenir mon avance, j'ai recommencé à courir. Au moins, le petit gros ne me rattraperait pas.

Je rythmais mes foulées, essayant d'oublier que j'étais une jeune fille perdue dans la forêt au beau milieu de la nuit, poursuivie par une meute de cinglés imprévisibles qui voulaient me couper les cheveux. Oublier les ombres menaçantes des arbres, que j'imaginais prendre vie à chaque instant pour transpercer ma chair de leurs longs doigts griffus.

J'ai couru longtemps. Si longtemps que mes

jambes sont devenues douloureuses. Et je commençais à avoir soif. J'ai avisé un tronc d'arbre mort, au creux duquel je me suis réfugiée, dans une obscurité totale. J'ai fait glisser mon sac à dos de mes épaules et l'ai posé sur mes genoux. J'ai ouvert la fermeture éclair sans bruit. Ma main s'est faufilée pour attraper ma gourde à tâtons. Mon sang s'est figé. À part ma gourde et les barres de céréales, mon sac était vide. Quelqu'un en avait retiré le poncho, les jumelles et l'Opinel. Pendant toutes ces nuits d'insomnie, je n'avais jamais pensé à en vérifier le contenu. Il était dans ma chambre, au pied de mon lit, il n'y avait aucune raison que...

Mon père.

Je l'imaginais entrer dans ma chambre pour subtiliser ces trois objets et cette image me terrifiait. Parce que ça matérialisait l'idée que, depuis le début, il avait décidé de faire de moi une proie. Et qu'il avait sans doute savouré cette perspective pendant des semaines. J'ai englouti quelques longues gorgées d'eau en essayant de noyer les sanglots qui cherchaient de nouveau à se frayer un chemin vers ma gorge. Ma colère a capitulé et les torrents brûlants se sont déversés sur mes joues.

Je suis restée là, à pleurer silencieusement sous mon tronc d'arbre mort pendant quelques minutes. J'envisageais de ranger ma gourde et de reprendre ma course lorsqu'un bruit m'a fait sursauter. Un « CLAC » sec. Ça venait de tout près, à quelques mètres à peine de l'endroit où je me trouvais. On avait frappé quelque chose de dur.

Mon corps s'est rétracté sous le tronc, comme une huître sous une giclée de vinaigre. J'ai arrêté de respirer. Quelqu'un se tenait là, tout proche, de l'autre côté du tronc. Je ne pouvais pas le voir, mais je le sentais. Je me suis souvenue des mots de mon père. « Votre âme entre en communion avec celle de la bête et vous n'avez plus qu'à laisser vos pas vous mener à elle, calmement, sans vous presser. »

Mon âme était en communion avec une autre, celle d'un tueur. Il m'avait retrouvée. La hyène m'avait retrouvée. J'avais oublié qu'on ne pouvait pas se cacher d'elle. Elle était en tout, partout, dans la peau du monde. Elle avait décidé de venir me renifler de sa gueule monstrueuse. Ici, dans la forêt, loin de la tribu des hommes. Loin de la Plume et du Champion. Loin du professeur Pavlović.

J'ai fermé les yeux, attendant d'être découverte. Ça n'était qu'une question de secondes. Et ça n'était peut-être pas plus mal. Le jeu prendrait fin et j'en serais quitte pour une mèche de cheveux. Je voulais juste que ça s'arrête. Rentrer à la maison, dans mon lit, près de Dovka.

Mais ce qui se tenait de l'autre côté du tronc n'avait pas envie d'interrompre le jeu. La terreur coulait de mon âme vers son âme et il s'en repaissait. J'étais certaine que ça n'était ni les trois gamins ni leurs pères. C'était mon frère, mon père ou autre chose... Et je ne savais pas laquelle de ces trois idées m'horrifiait le plus. Je percevais un souffle rauque. Ou était-ce le vent qui faisait grincer la cime des grands chênes ? La chose s'est approchée, a pris appui sur le tronc et est venue renifler ma peur de tout près. Les yeux toujours fermés, j'ai senti son haleine dans mes cheveux. J'imaginais une tête difforme, boursouflée de haine, les crocs noirs hérissés hors de sa gueule de reptile. Un regard phosphorescent. La chose a réfléchi. Les remugles de son âme décomposée ont atteint la surface de sa conscience en gros bouillons fétides. Puis elle s'est redressée et s'est éloignée, rassasiée. Il m'a fallu plusieurs minutes pour être à nouveau capable de réfléchir de façon rationnelle. Il fallait que je sorte de cette forêt le plus rapidement possible.

Je tendais l'oreille. Le silence s'était refermé sur la nuit comme un rideau de velours sombre. J'étais seule. Et cette idée me rassurait autant qu'elle m'horrifiait. Mon corps s'est relâché et j'ai décidé de m'extraire de ma cachette. C'est là que j'ai senti la douleur. Je m'étais blottie si fort contre le tronc d'arbre qu'un petit moignon de branche s'était enfoncé dans mon dos. Mon cerveau, aveuglé par la terreur, ne l'avait pas remarqué sur le moment. J'ai passé ma main sous mon tee-shirt. En la ramenant devant moi, à la lueur de la lune, j'ai vu le rouge sur mes doigts. Ça ne devait pas être très grave, une simple écorchure, mais la vue de mon sang a fait remonter les larmes une nouvelle fois.

J'essayais de calculer le temps qui restait avant l'aube. À la lumière du jour, tout ça serait déjà plus supportable. Et puis je supposais que ce jeu débile prendrait fin une fois le soleil levé. Je ne savais même pas comment ils comptaient me retrouver. Il devait être 1 h 30 quand le top de départ avait été donné. Le jour se levait vers les six heures du matin à cette époque de l'année. Restait à savoir combien de temps s'était écoulé depuis que j'avais commencé à courir dans cette forêt. Trente minutes ? Une heure ? Pas plus. Il me restait donc plus de trois heures de ténèbres à affronter. C'était hors de question. J'allais me remettre en route et j'allais sortir d'ici. En courant dans la même direction, je devais pouvoir m'extraire de cette forêt rapidement. Cette idée me réconforta un peu. Mes pulsations cardiaques ont retrouvé leur rythme normal. Je commençais même à me demander si mon imagination ne m'avait pas joué des tours et si je n'avais pas fantasmé ce prédateur. Après tout, le seul bruit que j'avais entendu, c'était ce « CLAC », surprenant, d'accord, mais c'était peut-être une branche pourrie qui avait cédé et qui s'était écrasée au sol. D'ailleurs, avais-je vraiment entendu ce « CLAC » ?

J'étais en train de me poser ces questions tout en remettant les bretelles de mon sac à dos en place pour reprendre ma course lorsque l'épouvante m'a giflée et m'a fait lâcher un cri. Je restais pétrifiée, les pieds cloués au sol. À quelques mètres devant moi, à moitié éclairée par un rayon de lune, une silhouette se détachait, parfaitement immobile, contre le tronc d'un gros sapin. Je restais figée quelques secondes, les yeux rivés sur ce qui se tenait devant moi. Je ne distinguais pas son visage, dissimulé sous une capuche. Un croassement a traversé le ciel. L'immobilité de la silhouette me terrifiait peut-être plus encore que sa présence. Elle me disait que fuir ne me servirait à rien. Qu'elle était certaine de m'attraper, quoi que je puisse tenter. Je continuais de la fixer, en attendant qu'elle prenne une décision. Le mouvement du vent m'a intriguée. Il faisait bouger la silhouette à la façon d'une créature fantomatique. Je me suis approchée un peu. Ce n'était pas quelqu'un. C'était un poncho de pluie kaki. Mon poncho. Planté dans l'écorce avec mon Opinel. Un deuxième cri est resté dans mon ventre. Celui qui avait fait ça ne devait pas être bien loin. Il était même probable qu'il soit en train de m'observer, dissimulé dans la pénombre. Je pouvais sentir son regard sur ma nuque et ça me faisait l'effet d'une poignée de vers grouillants, luttant pour pénétrer sous ma peau.

Sans me demander mon avis, mes jambes se sont remises à courir. Je martelais le sol de mes foulées, sans savoir où j'allais. Je devais juste échapper à ça. Ma course devait me faire traverser la planète, passer dans un autre monde, ça n'avait aucune importance. Je n'étais pas une proie, putain. Jamais. Pourtant, je me comportais comme telle, détalant dans la forêt, les tripes incendiées par la panique.

Je courais si vite que je ne voyais pas le terrain changer sous mes pas. Des rochers pointus commençaient à saillir sous le tapis d'épines. J'ai trébuché une première fois. Quelque chose à l'intérieur de moi, ma raison probablement, me disait de ralentir, mais la peur déferlait dans mes veines, emportant toute pensée rationnelle.

Mon pied droit a heurté un gros rocher, mon corps s'est envolé. J'ai eu le temps de comprendre. Que je m'envolais trop haut, que j'allais trop vite et que je ne pourrais rien faire pour éviter le choc.

J'ai heurté le sol à l'horizontale. Un rocher a frappé sous ma poitrine. J'ai senti un « crac » à l'intérieur. Je me suis dit « Oh ! une côte » avec une lucidité de spectatrice. Ma main droite s'est glissée entre mon visage et un caillou tranchant. Ma paume n'a pas crié quand il l'a tailladée. Elle a été plus courageuse que moi. Je suis restée étendue quelques secondes, incapable de bouger, le caillou dans ma main, le rocher dans ma côte. La douleur me vrillait la poitrine et rayonnait jusque dans mes orteils. Jamais je n'avais eu aussi mal.

C'est là que ça a éclos. Au creux de mon ventre. Ce n'était pas au niveau des tripes, c'était plus profond que ça. Au-delà de tout. Une créature beaucoup plus grande que moi a poussé. Dans mon ventre. Ça n'était pas la même bête que celle que le Champion nourrissait, chaude et moelleuse. Celle-là était hideuse. Son visage abject vomissait d'autres créatures, ses enfants. Cette bête-là voulait manger mon père. Et tous ceux qui me voulaient du mal. Cette bête m'interdisait de pleurer. Elle a poussé un long rugissement qui a dépecé les ténèbres. C'était fini. Je n'étais pas une proie. Ni un prédateur. J'étais moi et j'étais indestructible.

Je me suis relevée, les yeux secs. Ma côte cassée me déchirait en deux, j'avais du mal à respirer. Ma main était profondément entaillée, le sang coulait en un filet continu. D'habitude, quand je me blessais, mon premier réflexe était de lécher la plaie, mais là, il y avait trop de sang. J'ai retiré mon pull, puis mon tee-shirt pour m'en faire une compresse. Chaque mouvement me faisait l'effet d'un coup de poignard dans la cage thoracique. J'ai remis mon pull à capuche, mon sac sur le dos et j'ai enroulé mon tee-shirt autour de ma main.

J'ai hésité à retourner chercher mon Opinel sur l'arbre, puis je me suis dit que ma réserve de rage était si importante, la créature avait vomi tellement de petits que, si on m'attaquait, je serais capable de tuer à mains nues. Quand je me suis remise en marche, je souhaitais du fond de mes replis les plus sordides que quelqu'un surgisse pour me couper une mèche de cheveux. Il allait voir, tiens. J'allais lui défoncer sa sale petite gueule.

J'ai marché comme ça pendant un temps que je serais incapable de définir. Mais plus je marchais, plus la douleur devenait intense. Je ne sentais presque pas celle de ma main tant celle de ma poitrine me comprimait et m'empêchait de respirer. D'après ce que j'avais appris en sciences, ça devait être la quantité d'endorphine qui diminuait dans mon corps, rendant le signal de la douleur plus perceptible.

Ma rage s'était un peu calmée, mais je n'avais plus peur. Je me sentais toujours indestructible.

À un moment, je me suis arrêtée pour boire un peu d'eau. Je me suis forcée à manger une barre de céréales aussi, parce que j'avais perdu beaucoup de sang. Pas assez pour mettre ma vie en danger, mais suffisamment pour provoquer une légère anémie. L'idée de perdre connaissance au milieu de cette forêt m'était insupportable.

J'étais en train de remettre l'emballage vide de ma barre de céréales dans la poche de mon jean lorsque quelque chose a attiré mon attention à gauche, très loin en contrebas. Une petite lueur mobile. Des phares. C'étaient des phares de voiture. Et ils semblaient se rapprocher. Je me suis remise à marcher, aussi vite que ma côte me le permettait, en espérant arriver à la route que j'imaginais devant moi, avant que la voiture ne me dépasse. Elle n'avait pas l'air de rouler trop vite, ça devait être jouable. Je pressais le pas à travers les fougères. Le terrain descendait en une pente raide qui plongeait vers les ténèbres. Mon abdomen hurlait, mais l'idée de sortir de cette forêt était plus forte que la douleur. J'ai enjambé quelques taillis de ronces, m'écorchant les mollets au passage.

La voiture s'approchait toujours et semblait rouler dans ma direction. Je suis arrivée en bas de la pente. Je posais mes pieds sur un sol que je ne voyais pas, toujours jonché de buissons épineux. J'ai trébuché sur l'un d'eux et je suis tombée sur les mains. J'ai senti la morsure d'une ortie, mais, comparé à ce que j'endurais, c'était aussi redoutable qu'un miaulement de chaton. Je me suis relevée et j'ai franchi les quelques mètres qui me séparaient encore de la route.

À l'endroit où je m'attendais à sentir le macadam sous mes pieds, je n'ai trouvé que de la terre battue. Ça n'était pas la route mais un chemin, comme celui que nous avions emprunté quelques heures plus tôt. (Combien ? Une heure, deux heures, quatre heures ? Je n'en avais plus la moindre idée.) Mais les phares étaient bien réels et ils avançaient vers moi. J'étais maintenant en plein milieu de leur faisceau, si bien que le conducteur devait m'avoir vue. En effet, la voiture a ralenti, puis s'est arrêtée à quelques mètres de moi. Elle est restée immobile une dizaine de secondes, comme si elle me regardait. Éblouie par les phares, je ne voyais ni la voiture ni ses occupants, mais cette attente ne me disait rien de bon. Finalement, on a coupé le moteur et les portières conducteur et passager se sont ouvertes en même temps. Deux personnes sont sorties. Je n'osais pas approcher. Les deux silhouettes se sont avancées, se détachant dans la lueur des phares.

Le petit gros et son père.

Marcher dans la forêt avait dû le fatiguer. Ou le terroriser. Il avait préféré continuer la traque en 4×4.

Je n'avais pas envie de fuir. Parce que j'avais mal, parce que je n'avais pas peur et parce que ma créature hideuse avait une gueule à démolir. Le gamin me dépassait d'une bonne tête et d'une vingtaine de kilos. Mais ce que j'ai ressenti à ce moment-là, c'était juste de l'impatience. De sentir son visage s'écraser sous les jointures de mes poings.

Je l'ai attendu, immobile.

Il s'est avancé vers moi d'un pas mal assuré. Il a tenté un « On t'a trouvée, t'as perdu ! » avec sa paire de ciseaux à la main. Mais sa voix trahissait une pointe d'angoisse. Il s'est approché prudemment, comme si on lui avait ordonné de caresser une bête sauvage. Je ne distinguais que sa masse noire, aveuglée par la lumière des phares, mais je pouvais sentir son front couvert de sueur et ses grosses joues tremblantes.

Quand il est parvenu à quelques centimètres de moi, sa main est montée vers mes cheveux. J'ai attendu qu'il me touche. Je savourais cette attente. Le bout de ses doigts a effleuré une mèche blonde. Et la bête a bondi, comme une balle qui sort d'un canon de fusil, percutée par le déclencheur. Mon poing a heurté sa pommette avec une telle force qu'il s'est étalé sur le chemin de terre. Je me suis jetée sur lui, la bête a poussé son rugissement du plus profond de mes entrailles, accompagnée d'une armée de Vikings assoiffés de sang. Mon poing a cogné si fort que j'ai cru qu'il allait entrer dans son crâne. Je frappais avec ma main blessée, mais je ne sentais rien.

Le gamin a crié : « Papaaaaaaaaa ! »

J'ai pu frapper encore quelques secondes puis une main m'a saisie par les cheveux. Mes jambes m'ont propulsée vers l'arrière et j'ai mordu la première chose qui se présentait. C'était un bras. J'ai serré les mâchoires si fort que j'ai senti la chair céder sous mes dents. De sa main libre, le père m'a attrapée par la gorge et a serré. J'ai fini par lâcher son bras.

Il m'a plaquée au sol, faisant bouger ma côte fracturée. J'ai hurlé de douleur. Ma tête était immobilisée par ses deux mains, mais mon corps se débattait encore, s'arc-boutant, lançant mes jambes dans toutes les directions.

Le père a rugi à son fils : « Mais aide-moi, bon sang ! » Le gamin s'est relevé puis s'est assis à califourchon sur mon ventre. Son genou a appuyé sur ma côte. La souffrance était si forte que je ne pouvais plus respirer du tout.

« Tiens ses mains. »

Ils s'y sont mis à deux, s'affairant sur moi, me maintenant au sol avec toute leur hargne, ce qui ne servait plus à rien. Je ne bougeais plus, asphyxiée par la douleur. J'étais vaincue. J'ai entendu le « schlik » des ciseaux dans mes cheveux. Le père et le fils m'ont lâchée et se sont précipités vers le 4×4 pour s'y réfugier, me laissant là, seule, couchée au milieu du chemin.

Le son d'une corne de brume a retenti, ça devait être le signal pour dire que la partie était terminée. Le fils est redescendu de la voiture, et le père s'est éloigné pour faire croire que le petit avait réussi son exploit tout seul, comme un grand. L'obscurité s'est refermée sur nous. Je suis restée au sol, rageant contre moi-même et contre ma créature qui n'était pas assez forte pour me protéger. Le petit gros s'est mis à sangloter à quelques mètres de moi. Je lui avais fait mal avec mes poings. On est restés là pendant de longues minutes, lui assis au bord du chemin, gémissant, moi couchée dans la terre battue, digérant ma défaite.

Quand j'ai entendu les autres approcher, je me suis relevée, je ne voulais pas leur donner l'image de la bête vaincue. Le gamin a séché ses larmes d'un revers de main et a brandi ma mèche en signe de victoire. Les deux cravaches, arrivés en premier, n'ont pas caché leur amertume. À en juger par le regard de leur père, ces deux-là allaient avoir droit à quelques séances de dressage supplémentaires.

Mon frère est arrivé peu après. Il a regardé le tee-shirt rouge de sang enroulé autour de ma main.

Pour une fois, je n'ai pas vu la vermine se presser au fond de ses orbites. Au contraire. J'ai vu que ça ne lui allait pas. Que le jeu avait été trop loin. Il a regardé le petit gros et ses mains se sont crispées. Le village de résistants poussait un cri de révolte derrière les vallées de friches et de marécages. Il n'était pas mort. Merci.

L'aube commençait à teinter le ciel noir d'un bleu violet. Le regard de mon frère me faisait comprendre que je devais continuer à me battre. Sans lui, peut-être que cette nuit aurait englouti ma volonté.

J'hésitais quant à l'attitude à adopter face à mon père. D'un côté, j'avais envie de lui faire comprendre que je n'étais pas une proie, que je n'étais pas ma mère, qu'à l'intérieur de moi ça n'était pas vide, qu'il y vivait une bête, une bête qu'il valait mieux ne pas approcher. Mais je me disais aussi que si je n'avais pas été de taille à lutter contre un petit gros boutonneux et un homme à la volonté aussi ferme qu'une tête-pressée, je n'étais pas encore prête à affronter mon père. Et que, d'ici là, il serait sans doute plus sage de faire profil bas. Alors j'ai baissé les yeux et j'ai pris une attitude de gamine apeurée.

Le père du petit gros avait enfilé une chemise par-dessus son tee-shirt pour cacher la morsure, qui devait saigner un peu si j'en croyais le goût métallique qui persistait sur ma langue.

Mon père a avisé ma main sanglante du menton.

« Tu t'es fait mal ?

– Je suis tombée sur des cailloux.

– Ah ah ! Je vous jure ! Laissez une femme courir seule dans les bois ! »

Tout le monde a ri. Sauf Gilles et moi.

Le trajet du retour s'est passé comme l'aller, en silence.

Quand on est rentrés à la maison, ma mère était déjà levée. Elle nous attendait dans le hall d'entrée. Lorsque j'ai passé la porte, j'ai vu son regard. Je devais faire peur avec mes vêtements sales, mon visage écorché et ma main en sang. Elle a blêmi, a ouvert la bouche puis ses yeux ont rencontré ceux de mon père et ses lèvres se sont refermées. Il lui a dit : « Aide-la à se soigner, elle a réussi à se blesser. »

Quelque chose me disait que derrière cette

phrase se cachait un embryon de culpabilité. Peut-être que j'avais juste besoin de me rassurer, mais je me persuadais que mon père n'était pas le monstre qui était venu respirer ma peur sous le tronc d'arbre.

Ma mère m'a emmenée à la salle de bain. Comme elle avait l'habitude de soigner les animaux, elle avait les bons gestes. Elle a désinfecté ma main puis elle m'a fait enlever mon pull. En se posant sur l'écorchure au niveau de ma côte, ses yeux se sont voilés et sa main est montée vers sa bouche. Elle connaissait cette douleur-là. Ses larmes ont coulé. Elle m'a tendu un comprimé et un verre d'eau et elle a dit : « Ça va te soulager un peu. » Sa voix s'est étranglée.

Elle m'a aidée à mettre un pyjama et m'a accompagnée jusqu'à mon lit. Elle a fermé les rideaux et s'est assise là, en attendant que je m'endorme. Elle a caressé mon genou de sa main glacée et, dans l'obscurité, je l'ai entendue prononcer ces mots : « Gagne de l'argent et pars. »

C'était la première fois qu'elle me donnait un conseil et je supposais que c'était la première fois de sa vie qu'elle donnait un conseil à qui que ce soit.

« Maman, pourquoi t'as raté ta vie ? »

Cette phrase a surgi sans me laisser le temps de réfléchir ou de me taire. Elle m'a surprise au point que je me suis demandé si je l'avais vraiment prononcée. Ou si elle venait de quelqu'un d'autre. Il n'y avait aucune malice dans cette question. C'était une vraie question. La vie de ma mère était ratée. Je ne savais pas s'il existait des vies réussies, ni ce que ça pouvait signifier. Mais je savais qu'une vie sans rire, sans choix et sans amour était une vie gâchée. J'espérais une histoire, une explication.

Le visage de ma mère s'est fissuré. Ça n'était pas du chagrin. Des plaques tectoniques avaient tressailli tout au fond d'elle. Dans son paysage lunaire intérieur, quelque chose s'était entrouvert. Quelque chose qui allait modifier sa chimie intime. Quelque chose qui permettrait peut-être à la vie de germer… Elle m'a répété : « Gagne de l'argent et pars. » Et elle est restée assise là, sur mon lit.

J'ai posé ma tête sur mon oreiller, cherchant la position la moins douloureuse pour m'endormir.

J'ai fini par comprendre que je n'aurais pas de répit. Que ma douleur mettrait des semaines à disparaître. Et que, quand elle aurait disparu, la peur resterait. Que je ne serais jamais à l'abri. Mais il y avait au fond de moi cette chose qui grandissait et qui, quand la situation l'exigeait, était capable d'aspirer ma terreur et de me transformer en prédateur.

Mon corps s'est un peu apaisé. Le médicament fonctionnait. Dovka est venue se blottir dans mes bras. Ma mère pleurait doucement. J'ai écouté ses sanglots quelques minutes, avant de sombrer dans un sommeil aveugle.

L e lendemain matin, j'avais rendez-vous chez le professeur Pavlović. Je serais morte plutôt que de ne pas y aller. Mais chaque respiration me donnait l'impression d'être transpercée par une épée enduite de piment.

J'ai traversé le Démo avec Dovka. J'essayais de poser mes pieds le plus délicatement possible sur l'asphalte pour réduire le choc qui allait mordre chacune de mes blessures. L'entaille dans ma main palpitait. Je savais que c'étaient mes anticorps qui luttaient contre l'infection. J'espérais qu'ils gagneraient le combat. Je sentais bien que s'il devenait nécessaire de m'emmener à l'hôpital, toute cette histoire prendrait des proportions qui déplairaient à mon père. Il faisait beau. Les perruches piaillaient. L'indifférence des oiseaux, toujours.

Le professeur Pavlović m'a ouvert la porte. Il est resté quelques secondes sur le perron, sans rien dire, à détailler les entailles sur mon visage et le pansement autour de ma main, sur lequel une tache rouge sombre s'était propagée pendant la nuit. Puis, sous ses gros sourcils, il a fait quelque chose de curieux. Il n'a pas bougé. Et, en même temps, il m'a prise dans ses bras. Avec ses yeux.

Derrière son épaule, le masque blanc est apparu. Yaëlle était muette, mais elle n'était pas sourde. Et le silence de son mari lui avait dit qu'il se passait quelque chose d'inhabituel. Dovka a jappé. Les deux trous noirs du masque m'ont dévisagée, exactement comme le professeur Pavlović. Si le masque de Ya ne m'avait pas effrayée, je crois que j'aurais ri. Ils étaient drôles, tous les deux, on aurait dit un couple de hiboux. Mais derrière sa bouche de plâtre peinte en rouge, la vraie bouche de Yaëlle, celle que je n'avais jamais vue, celle que je n'étais pas certaine de vouloir voir un jour, a émis une plainte qui a gelé le soleil. Un long hurlement sinistre, ni humain ni animal. Elle vomissait un chagrin brut. Une douleur insondable qui semblait rejaillir après des années de silence.

Elle hurlait à se mutiler les cordes vocales. Je crois que depuis l'explosion du siphon du marchand de glace, c'était le bruit le plus effroyable qui ait retenti dans le quartier. Le professeur Pavlović s'est retourné et l'a prise par les épaules.

« Ya ! »

Le cri ne voulait pas s'arrêter. Il l'a guidée vers le petit salon et l'a aidée à s'asseoir dans son fauteuil. Le masque continuait de crier, de plus en plus fort. À la douleur venait s'ajouter la fureur. Ce hurlement m'a fait mal. Encore plus mal que ma côte. Le professeur essayait de la calmer.

« Ya, respire. Doucement. »

Il prenait sa vieille main à elle dans sa vieille main à lui et la caressait, comme un lapereau pétrifié. Ce cri était si vivant que j'ai cru un instant que le masque allait s'animer. Mais il est resté figé, avec son sourire, ses paillettes et ses plumes.

« Ya, tout va bien. Calme-toi. »

C'était déroutant de voir le professeur essayer de réconforter quelqu'un. Avec moi, il était toujours un peu maladroit. Inaccessible, en fait. Il n'exprimait presque aucune émotion. Avec le temps, j'ai compris que c'était une forme de timidité. Il était incompétent en rapports sociaux. Les relations humaines exigeaient une part d'irrationnel. Et le professeur Pavlović ne comprenait pas l'irrationnel. Mais Yaëlle, c'était autre chose. C'était sa femme.

Le cri ne faiblissait pas, alors le professeur a ouvert un tiroir et en a sorti une seringue et un flacon. Puis, très doucement, il a pris le bras marbré de taches couleur rouille. Ces taches m'intriguaient toujours. Ça me rappelait les mains du vieux glacier. Avec l'âge, moi aussi, je finirais par rouiller comme une vieille clôture.

Le professeur a piqué et la voix a capitulé. Le masque est redevenu silencieux. La tête de Yaëlle s'est affaissée sur un coussin et j'ai compris que le sommeil l'avait aspirée.

« Va m'attendre dans la salle à manger. »

Je savais qu'il allait lui retirer son masque.

En m'éloignant vers la salle à manger, j'ai entendu le son de la radio que le professeur venait d'allumer dans le petit salon. Une chaîne de musique classique. Je me suis assise à table. Le professeur m'a rejointe. Ses gros sourcils noirs étaient si froncés que l'espace qui les séparait avait complètement disparu. Ça faisait une grosse barre toute droite sur son front. On aurait dit un Bounty. J'ai réprimé un rire nerveux. Il s'est assis en face de moi. Il a caressé sa barbiche et a commencé à faire rouler la perle entre ses doigts. Ses yeux se sont posés sur la chaise qui se trouvait à ma droite. On aurait dit que c'était à elle qu'il se préparait à s'adresser. Sa timidité.

« Yaëlle n'a pas toujours été comme ça. »

J'ai compris qu'on n'allait pas parler de physique ce jour-là.

« On s'est rencontrés à Tel-Aviv, à la faculté. Elle étudiait la médecine, moi la physique. Quand elle a eu son diplôme, elle a commencé à exercer dans un hôpital. Elle a rencontré de nombreuses femmes qui avaient des problèmes avec leurs maris. Des problèmes de violence. Physique et psychologique. Elle les voyait arriver, avec leurs bleus et leurs lèvres fendues, détruites. Et puis, quand elles étaient un peu rétablies, sur le plan corporel en tout cas, elles rentraient chez elles et ça recommençait. Yaëlle, ça la rendait dingue. Alors, elle en a parlé avec le directeur de l'hôpital, un type bien. Il l'a soutenue et, ensemble, ils ont créé un refuge pour femmes battues. Elle a aidé beaucoup de femmes, tu sais. Elle s'est aussi engagée dans des mouvements féministes. C'était une vraie militante. De mon côté, je passais le plus clair de mon temps à l'université. Je commençais à enseigner et je poursuivais mes travaux de recherche.

Il y a eu cette femme, Lyuba. Elle s'était enfuie de chez elle avec son bébé. Un petit garçon qui n'avait pas plus de six mois. Son mari, c'était... »

Il m'a regardée droit dans les yeux.

« C'était le genre de type qu'il valait mieux ne pas contrarier. Il a retourné tout Tel-Aviv pour retrouver sa femme et son bébé. Il fallait qu'elle parte loin et vite. Yaëlle l'a aidée à retrouver de la famille en Russie et à faire le voyage. Lyuba et son fils se sont sauvés de justesse. Mais le type était enragé. Il a mené son enquête. Méthodiquement. Et il est remonté jusqu'à Yaëlle. »

Son visage était si tendu que pendant un instant j'ai cru qu'il allait se fendre comme du bois sec.

« Un soir, Yaëlle est sortie du refuge. Il l'attendait. Avec ses copains. Et moi je n'étais pas là pour la protéger. Ce qu'ils lui ont fait cette nuit-là… Le rapport du médecin, c'était… »

Le bois sec s'est fendu. À travers l'écorce, j'ai vu une femme qui hurlait. J'ai vu le visage supplier la chose qui n'avait pas de nom, avant de disparaître. J'ai vu les ailes noires et les yeux rouges.

« Ils ont pris leur temps. Ça a duré des heures, toute la nuit. Elle se rappelle qu'ils ont ri, beaucoup. Surtout quand ils ont versé l'acide sur son visage. »

La perle roulait toujours entre ses doigts.

« Après ça, ils l'ont jetée devant la porte des urgences. Ils voulaient qu'elle survive pour que son supplice se prolonge bien au-delà de cette nuit.

Et c'est ce qu'elle a fait. Elle a survécu. D'abord dans le coma. J'ai passé des nuits interminables près d'elle, à me dire que si je l'aimais vraiment, je devais débrancher son respirateur. Parce que personne ne peut vivre sans visage. Sans nez, sans bouche. Sans parler, sans goûter. J'ai failli le faire cent fois. Mais je n'ai pas pu.

Les médecins ont réussi à sauver son œil droit. Le gauche avait littéralement fondu. Quand elle est sortie du coma, elle a pris un papier et un stylo et elle a écrit: "Lyuba et le petit vont bien." Et je te jure que, même sans bouche, elle a souri. J'ai compris qu'elle avait gagné. »

Il s'est levé et est parti dans la cuisine. Je suis restée là, à écouter le silence étrange qui suivait son histoire. Seul me parvenait le son de la radio depuis le salon. J'imaginais Yaëlle endormie, sans nez et sans bouche, avec un œil fondu.

Le professeur est revenu avec une théière fumante. Il s'est assis, nous a servis et a poussé une tasse vers moi.

« Alors, je ne sais pas ce qui t'est arrivé à toi, et je ne te poserai pas de questions. Mais s'il y a quelqu'un à faire disparaître, sache que le mari de Lyuba a servi de repas à la faune aquatique du port de Tel-Aviv. »

J'ai compris à son silence que c'était une question. J'ai secoué la tête.

« Tu ne veux pas que je m'en mêle ? »

J'ai encore secoué la tête.

« Bon. Alors au boulot. »

Ma mère m'a soignée du mieux qu'elle a pu, et elle était plutôt douée. Ma main ne s'est pas infectée. Elle me faisait des cataplasmes d'argile verte plusieurs fois par jour. Le contact de l'argile m'apaisait. Celui de ma mère aussi. Pour la première fois, je l'ai vue comme une alliée et je crois que c'était réciproque. Pour ma côte, il n'y avait rien à faire sauf soulager la douleur en attendant que l'os se régénère. Je prenais les antalgiques que ma mère me donnait. Je crois que ça lui faisait du bien de prendre soin de moi. J'en étais même certaine. Peut-être qu'elle souffrait de se sentir inutile la plupart du temps. Et qu'elle avait besoin qu'on ait besoin d'elle. Ce qui expliquerait sa passion pour ses chèvres, ses plantes et sa perruche. C'étaient des êtres qui dépendaient d'elle.

Je me suis résolue à solliciter son aide plus souvent. À la solliciter tout court, d'ailleurs, ce que je n'avais jamais fait auparavant. Je lui demandais des petites choses, m'aider à réparer une fermeture Éclair, m'apprendre à régler mon radio-réveil. En réalité, je m'apercevais qu'on partageait un intérêt commun pour les sciences. Elle était plus versée dans la biologie avec ses animaux et son jardin, mais elle avait acquis une somme de connaissances empiriques assez impressionnante. Et je voyais qu'elle s'étonnait elle-même du plaisir qu'elle prenait à les partager avec moi.

L'été s'est achevé sur cette sensation confuse, entre l'émerveillement devant le lien qui se tissait avec celle que j'appelais « maman » et la terreur exponentielle que m'inspirait celui que j'appelais « papa ».

Dès le début de l'été suivant, j'ai compris que ma vie allait changer. D'une façon radicale. Cette année-là, le parc d'attractions dans lequel mon père travaillait avait été revendu à une grosse chaîne américaine. Il y a eu des restructurations. Et mon père avait été licencié. « Après douze ans de bons et loyaux services », comme il disait. Le jour où il l'a appris, il a passé sa rage sur ma mère. Et les jours qui ont suivi aussi. Et les semaines. Ses colères sont devenues quotidiennes. Ma mère en gardait des traces sur le visage en permanence. Quand un hématome se résorbait, une lèvre ou une arcade fendue venait le remplacer. On aurait dit une course de relais macabre. La pommette qui criait : « Je prends ! C'est à moi ! » et boum ! Elle devenait rouge, puis bleue, puis noire, puis jaune. Parfois, je notais même quelques nuances de vert. Ensuite, c'était au tour d'une lèvre, puis d'un œil. Le visage de ma mère ne dégonflait plus.

Elle avait pris l'habitude de se faire livrer les courses à domicile parce que les commerçants la regardaient d'un drôle d'air. Un jour, une caissière bien intentionnée avait même prévenu la police. Comme ma mère avait refusé de porter plainte, il n'y avait pas eu de suite. Mais la fureur de mon père avait redoublé.

Moi, je faisais profil bas. J'essayais de passer inaperçue, de me mettre dans le sens du vent pour échapper à son radar. Il m'observait, ça, je le sentais. Son âme se connectait à la mienne pour la sonder. Dans ces moments-là, je vidais ma tête, je faisais en sorte de ne plus être animée par quoi que ce soit. La seule chose qui pouvait me trahir, c'étaient mes résultats scolaires. Alors je faisais en sorte qu'ils ne soient pas trop brillants. Je me maintenais dans une moyenne raisonnable. Si j'avais voulu, j'aurais pu sauter dans la classe supérieure une nouvelle fois. Sans problème. Mais ça aurait éveillé son attention. Je m'en fichais, de toute façon, mon apprentissage, je le faisais chez le professeur Pavlović. Je faisais aussi attention à cacher mon corps le plus possible. Il était beau, je le savais. Il avait les proportions qu'il fallait, des jambes longues et fines, une taille étroite, des épaules sculptées. Je portais des vêtements amples, de gros pulls sur des pantalons baggy pour dissimuler tout ça. Sauf quand j'allais garder Takeshi et Yumi. Parce que j'aimais la caresse du regard du Champion sur ma peau. Je sortais de chez moi avec un long pull informe et, sitôt passé le coin de la rue, je l'enlevais, révélant une petite robe à fleurs, la seule de ma garde-robe. J'aimais avoir les jambes nues pour sentir la chaleur de sa main sur le levier de vitesse, à quelques millimètres de mon épiderme.

Après la nuit où on s'était embrassés, il avait fait comme si rien ne s'était passé. J'avais continué à aller garder Takeshi et Yumi, la Plume était toujours aussi souriante avec moi. Il ne lui avait rien dit. Je sentais toujours ses yeux sur mon corps, ni plus ni moins qu'avant. Je voyais juste qu'il évitait mon regard et qu'il me disait rapidement au revoir, une fois arrivé devant ma maison. J'avais l'impression qu'il avait peur de moi.

J'aimais mon corps. Ça n'avait rien de narcissique. Même s'il avait été moche, je l'aurais aimé pareil. J'aimais mon corps comme un compagnon de route qui ne me trahissait jamais. Et que je devais protéger. J'aimais découvrir ses nouvelles sensations. Et les plaisirs possibles. Je faisais en sorte de me rappeler les moments agréables et d'oublier la douleur.

Le souvenir de ma côte cassée était aujourd'hui aussi léger qu'une fleur de coton. En revanche, le baiser échangé avec le Champion restait aussi vivant que s'il avait eu lieu la veille. Je me rappelais chaque détail de ces quelques instants passés dans ses bras. L'odeur de la bière, la pression de ses bras, la douceur de sa langue sur mes lèvres. Je convoquais ces sensations, mon corps obéissait et j'éprouvais pour lui une intense gratitude.

Mon père avait changé depuis qu'il n'avait plus de travail. Il était à la fois plus dangereux et plus fragile qu'avant. Pour la première fois, je voyais le petit garçon perdu à l'intérieur de lui. Certains soirs, quand il avait beaucoup bu, il ne se cachait même plus pour pleurer en écoutant Claude François. Affalé dans son fauteuil, il sanglotait sur sa peau d'ours, comme s'il s'attendait à ce que la bête morte se mette à le consoler.

Il n'avait plus de contact avec sa mère depuis longtemps parce qu'ils s'étaient disputés. Je ne savais même pas si elle vivait encore.

Du côté de ma mère, il n'y avait plus que ma grand-mère, malade et vieille. On allait la visiter une fois par an dans une maison de retraite qui sentait l'ennui, le renoncement et le beurre rance.

Quand je voyais mon père pleurer, je me disais que ce petit garçon-là avait besoin d'un câlin. D'un parent qui le prenne dans ses bras et le berce. Mais ses parents n'étaient pas là. Et moi j'avais peur. Parce que la bête sauvage n'était jamais bien loin.

Alors je me tenais à distance. Mais je comprenais qu'il souffrait. Que son monde intérieur devait ressembler à une salle de torture médiévale, avec de longs hurlements plaintifs qui résonnaient contre les murs humides et glacés.

Je ne pouvais pas l'aider. Même en voyageant dans le temps. Il y a des choses auxquelles je ne pouvais pas toucher. Si mon père n'avait pas souffert, sa vie aurait été différente, il n'aurait sans doute pas épousé ma mère et ni Gilles ni moi n'aurions vu le jour. Je commençais même à comprendre que je ne pourrais pas empêcher la mort du glacier. Parce que c'était cet événement précisément qui avait fait naître ma volonté de remonter dans le temps. Si le glacier ne mourait pas, je n'inventerais pas la machine, c'était le paradoxe temporel classique. La clef de ma nouvelle vie se situait probablement sur un autre événement. Mais ça n'était pas grave, tant que je parvenais à sauver Gilles. Juste Gilles. Ses petites dents de lait et son rire.

Il avait maintenant onze ans. On ne se parlait plus. Ou quand il lui arrivait de s'adresser à moi, la plupart du temps, c'était pour m'insulter. Pour faire rire mon père. Mais je savais que, quelque part, il m'aimait encore. Je n'avais pas oublié son regard après le jeu de nuit. J'ai parfois eu envie de lui parler de mon projet de machine à remonter le temps, des cours de physique, du professeur Pavlović. Mais je savais que je ne devais pas. C'était trop dangereux. Et s'il en parlait à mon père ? De toute façon, il n'aurait pas compris. Et puis ça m'aurait obligée à lui avouer que je l'aimais et je ne pouvais pas lui dire ça. Parce qu'il se serait moqué de moi et que ça m'aurait blessée. Alors je ne disais rien. Je continuais à avancer.

Le professeur Pavlović me disait que j'avais désormais le niveau pour intégrer les plus grandes facultés de physique. Cela faisait maintenant deux ans que j'allais le voir régulièrement. Et mon père n'en savait toujours rien. Je m'arrangeais pour planifier nos rendez-vous pendant les heures de bureau, quand mon père était au parc d'attractions. Mais maintenant qu'il n'y était plus, ça devenait beaucoup plus compliqué. Surtout qu'il m'observait. Il s'ennuyait, il n'avait plus rien à faire de ses journées et il ne quittait presque plus la maison.

En réalité, depuis le début des vacances, il n'y avait plus que moi qui sortais de la maison. L'atmosphère y était devenue si oppressante qu'elle nous mastiquait tous les quatre, broyant ce qui restait de santé mentale à mon père, ma mère et mon frère. Dès que j'entrais dans le hall, je pouvais sentir ses mâchoires se refermer sur moi.

J'avais remarqué que mon père se levait de plus en plus tard. Donc j'essayais de prendre mes rendez-vous avec le professeur Pavlović à l'aube, de façon à être rentrée avant qu'il n'ait quitté sa chambre. Heureusement que le professeur Pavlović était compréhensif. Et qu'il ne posait pas de questions.

Yaëlle commençait à perdre la tête. Parfois, en plein cours, elle surgissait dans la salle à manger, aussi vite que ses vieilles jambes le lui permettaient et elle venait me prendre dans ses bras en gémissant. Je ne savais pas si elle venait chercher du réconfort ou si elle voulait m'en donner. Probablement les deux. La vision de ce masque qui bondissait vers moi sans prévenir me surprenait à chaque fois.

Ce qui était étrange avec Yaëlle, c'est qu'elle se déplaçait sans le moindre bruit, comme si elle flottait à quelques centimètres du sol, à la manière d'un spectre. Il m'est arrivé de me demander sincèrement si elle était encore vivante. Ou si elle était une hallucination que nous avions en commun, le professeur Pavlović et moi. Quand elle avait une de ses crises de réconfort, nous nous interrompions quelques minutes, le temps qu'elle se calme. Je la laissais m'enlacer, dans un mélange de malaise et de compassion. Elle sentait bon. Je crois que ça venait de sa crème hydratante. La plupart du temps, elle se calmait toute seule, ses gémissements faiblissaient, puis elle quittait la pièce en silence. Mais parfois, la machine s'emballait et elle perdait le contrôle de ses émotions. Alors, les gémissements se transformaient en longues plaintes, comme l'année précédente. Le professeur devait la raccompagner dans le petit salon et la calmer en lui murmurant des mots que je n'entendais pas.

L'été avait donc débuté comme ça, je m'habituais aux crises de Yaëlle. Et à mes réveils à l'aube.

J'aimais bien ça. J'avais la sensation de prendre de l'avance dans ma grande course contre la mort.

Mais un matin, je ne sais pas ce qui s'est passé. Peut-être que j'avais un peu traîné chez le professeur Pavlović, peut-être que mon père s'était levé plus tôt. Je ne sais pas. Mais quand je suis arrivée à la maison, il était déjà à table, devant son café, avec ma mère et Gilles, qui prenaient leur petit déjeuner en silence. Les trois têtes se sont tournées vers moi quand j'ai franchi le seuil de la salle à manger.

Ma mère était livide. Je ne parlais jamais de mes visites chez le professeur Pavlović avec elle. Je ne savais pas si elle se souvenait que j'y allais. Normalement oui, mais son cerveau avait de plus en plus de ratés depuis que les colères de mon père s'étaient intensifiées. Là, à cette minute précise, elle avait peur. Plus que d'habitude.

Mon frère avait l'air fatigué et détaché de tout, comme toujours. Il a replongé le nez dans son bol de céréales, ses longs cheveux encadrant son visage étroit.

Mon père avait sa bouche bizarre.

« D'où tu viens ? »

Il flairait le mensonge, je le savais. Et il pouvait sentir l'effervescence que la science générait dans mon esprit. Son âme s'était connectée à la mienne et elle voyait que j'étais vivante. Bien plus vivante que tout ce qu'il aurait pu imaginer. Mais je devais mentir, je n'avais pas le choix.

« Je promenais Dovka.

– Tu mens. »

Ma mère s'est ratatinée sur sa chaise. On aurait dit un raisin de Corinthe. Blanc. Je me suis demandé si elle avait peur pour elle ou pour moi.

« Mais non, je te jure, je…

– Viens ici. »

J'ai fait deux pas en direction de la table. Je n'étais plus qu'à un mètre de lui. Il avait quelque chose de triste. Le petit garçon redoutait ce qui allait se passer. Mais il était prisonnier de ce corps de bourreau.

« Viens plus près, assieds-toi. »

Le ton était gentil, presque tendre. Mais je savais. Il avait vu ce qu'il n'aurait jamais dû voir, ma force. Je me suis assise à table, sur la chaise qu'il me désignait, à côté de lui.

« Alors ? Mademoiselle se croit plus maligne que tout le monde ici ? »

Ma mère était si tendue que je pense que si on l'avait touchée, elle se serait brisée net, comme un vitrail. Gilles s'est levé et a quitté la pièce. Tout à coup, la douleur de ma côte s'est réveillée. Je sentais la masse de mon père à quelques centimètres de moi, tout son poids contre le mien. J'ai eu cette image très précise de moi, seule sur une plage face à un raz de marée de trente mètres. J'étais d'une fragilité désespérante.

« Hein ? On est pas assez bien pour toi, c'est ça ? »

Il avait pris sa voix de chien qui grogne, très basse, à peine perceptible. Sa main immense est montée vers ma gorge et s'est refermée dessus comme un grappin.

« Alors ? Pourquoi tu réponds pas, hein ? »

J'ai essayé d'articuler quelque chose, mais déjà il s'était mis à serrer.

« Tu crois que je vois pas tes grands airs, hein ? Tu crois que tu vaux mieux que nous ? »

Il s'est levé et m'a soulevée dans les airs comme un chaton. Dovka s'est mise à aboyer. Je ne parvenais plus à respirer. La main comprimait ma jugulaire externe, empêchant mon sang d'aller chercher de l'oxygène pour mon cerveau. Je savais que je pouvais survivre quelques minutes comme ça, mais j'avais l'impression que j'allais mourir là, maintenant. Je ne réfléchissais plus. Je n'étais plus qu'un organisme qui se débattait pour échapper à la mort, sachant que le combat était perdu d'avance. Mon corps s'est tortillé comme ça pendant un temps impossible à définir. Mon père continuait de me parler. En réalité, je crois qu'il hurlait maintenant. Mais je n'entendais pas. Il y avait trop de sang dans ma tête. J'en ai eu la confirmation quand le grappin a lâché ma gorge et que je me suis écrasée sur le sol. Là le son est revenu d'un coup. Il hurlait.

« PETITE CONNE ! TU CROIS QUE TU VAS TE FOUTRE DE MA GUEULE LONGTEMPS COMME ÇA ? »

Il s'est défoulé en hurlant des insultes. Je me suis recroquevillée, prête à prendre des coups. Mais les insultes ont suffi pour le calmer. Il a dit : « Dégage d'ici, je veux plus te voir. Et si ce clebs aboie encore, je le bute. » Je me suis relevée et j'ai filé dans ma chambre avec Dovka.

Je me suis réfugiée dans mon lit. Et j'ai remarqué que je ne pleurais pas. Je n'avais plus pleuré depuis l'épisode du jeu de nuit. Quelque chose s'était fossilisé à l'intérieur. Je me suis dit que c'était mauvais signe. Je refusais d'être une proie ou une victime, mais je voulais rester vivante. Vraiment vivante. Avec des émotions. J'ai fait un effort pour pleurer, je sentais que c'était nécessaire, un réflexe de survie. Je donnais de grands coups de pioche pour dégager ma source intérieure. Je n'ai pas eu besoin de creuser longtemps. Les larmes ont jailli en un déluge salé sur mon oreiller.

Dovka s'est blottie contre mon ventre. J'ai réalisé que la peur ne m'avait jamais quittée depuis l'épisode de la forêt, comme un charognard qui suit un animal blessé. J'avais feint de l'ignorer pour continuer d'avancer, mais elle était toujours là, vissée dans ma chair.

Je ne suis ressortie de ma chambre qu'en fin de journée, quand ma mère m'a appelée pour l'aider à préparer le dîner. Un tartare de bœuf. Encore de la viande. Ma mère voulait que je prépare une vinaigrette pour la salade. Il paraît que je faisais bien ça, la vinaigrette. Le son du journal m'est parvenu depuis le salon. Il était question de corruption et de détournement d'argent public. Mon père a dit : « Putain de politicards de merde, moi je te traîne tout ça sur la place du village et j'y fous le feu. Ça leur fera peut-être passer l'envie de nous enculer... »

Ma mère a dit : « À table ! »

Mon frère est descendu.

On a mangé en silence.

Chaque jour, je promenais Dovka et, chaque jour, je passais devant la maison du Champion dans l'espoir de l'apercevoir. Ce qui arrivait parfois. Quand il tondait la pelouse, quand il rentrait chez lui avec ses enfants, quand il déchargeait les courses de sa voiture. Je lui faisais un petit signe de la main. Ça me suffisait. Mais je nourrissais toujours l'espoir confus d'une rencontre, d'un sourire, d'un baiser. En attendant, je me contentais de ce qu'il me donnait. Je grignotais chaque instant passé avec lui, comme de petits os sur lesquels il fallait prélever chaque fragment de chair.

Un soir, alors que je gardais les enfants, la Plume et le Champion sont rentrés plus tôt que d'habitude. Elle avait l'air fatiguée et un peu triste. L'été tirait à sa fin. C'était un de ces soirs d'août où on a si bien pris l'habitude du soleil et de la chaleur qu'on a l'impression qu'ils vont durer toujours. Et lorsqu'on tombe par hasard sur une veste chaude ou une paire de Moon Boots dans un placard, on les regarde avec une impression confuse et on se demande dans quelles circonstances on a bien pu en avoir besoin. Un de ces soirs où on se prend à croire qu'on passera le reste de son existence en short, en tee-shirt et en tongs.

Comme d'habitude, la Plume est rentrée et m'a donné mon argent et, comme d'habitude, le Champion m'attendait dans sa Golf. J'ai pris place à côté de lui.

« Salut.

– Salut.

– Tout s'est bien passé ?

– Oui, impeccable, comme toujours. »

Il a garé sa Golf près de la haie de la maison. Et

il a coupé le moteur. Ça, il ne l'avait jamais fait auparavant. Il a caressé Dovka, à mes pieds.

« Elle va bien ?

– Oui, oui. Très bien.

– Elle a quel âge maintenant ?

– Quatre ans. »

Sa main a glissé de la tête du chien vers mon avant-bras.

« Tu veux faire quoi après l'école ? »

Il a posé ses doigts au creux de mon coude.

« Voyager.

– Ah, c'est bien, ça. Tu veux aller où ? »

Ses doigts ont caressé mon bras et sont remontés jusqu'à mon épaule. J'étais incapable de bouger. Peur qu'il arrête, peur qu'il s'en aille, peur de mon corps que je ne contrôlais plus. J'ai répondu sans réfléchir. « Je sais pas. N'importe où. Je veux juste partir loin. » Ses doigts ont rompu le contact. Il a pris ma réponse pour un refus. Il a souri, un peu crispé.

« Ha, eh bien, bonne nuit… À la prochaine ! »

Je ne voulais pas qu'il s'arrête. Mais je ne pouvais pas le dire. Je ne pouvais pas non plus sortir de cette voiture. La sensation ne pouvait pas s'arrêter.

Mon corps a bondi sur lui. Mes mains ont agrippé ses épaules, comme des bouées, et mon visage a mangé la distance qui le séparait du sien. Nos lèvres se sont retrouvées, comme quatre petits animaux joyeux, indépendants de nous. Ce baiser, c'était une fête. Je sentais chaque cellule de mon corps pleurer de joie. D'ailleurs, j'ai pleuré vraiment. Il a posé ses mains sur mes joues, a senti mes larmes et a éloigné mon visage du sien pour me regarder.

« Ça va ? »

J'ai hoché la tête et j'ai embrassé ses joues, ses yeux, sa bouche, son cou. Il a ouvert la portière, m'a pris la main, a contourné ma maison et m'a emmenée vers le bois des Petits Pendus. Je n'y avais plus mis les pieds depuis longtemps. Je n'avais pas voulu recroiser Monica. Au début, j'avais été en colère, mais, rapidement, je crois que je m'étais sentie un peu coupable de ne pas être retournée la voir. Puis, plus le temps avait passé, plus je m'étais sentie coupable et gênée, alors j'allais promener Dovka dans les champs de l'autre côté du Démo. Et puis, ça me permettait de passer devant la maison du Champion et d'avoir une chance de l'apercevoir.

Il a choisi un arbre et a pressé mon corps contre l'écorce. Sa langue a caressé ma bouche comme l'année précédente. Il a émis le même petit « Mmmmmh » de plaisir. Mais cette fois, il ne résistait pas. Ses mains se sont posées sur mon ventre, puis sur mes seins, douces et avides. Ma bouche a exploré sa peau un peu salée, minérale. J'avais envie de tout. De ses doigts sur chaque parcelle de ma peau et à l'intérieur. À l'intérieur de ma chair, de mon ventre, de mes poumons, de ma tête. Besoin d'être ouverte, de sentir ses mains fouiller ma chair, mes muscles, mes tripes, qu'il se délecte de mon sang chaud sur ses doigts, qu'il saisisse mes os et qu'il les brise. Besoin d'être saccagée, dévorée, démantelée.

D'un geste précis, presque brusque, il m'a saisie par la taille et a fait pivoter mon corps d'un demi-tour. Mon visage contre l'écorce. J'ai entendu le cliquetis de sa ceinture. Il a glissé ses mains sous ma robe, sur mes hanches, puis a baissé ma petite culotte. Sa chair est entrée en moi. Un peu de douleur. Mon

ventre s'est refermé. « J'y vais tout doucement. »
Son va-et-vient. Là, dans le bois des Petits Pendus.
À quelques mètres de la hyène. Son souffle court
dans ma nuque. Mon ventre qui a crié. La Plume qui
devait l'attendre. Un peu de douleur encore.

Son corps s'est tendu, ses mains se sont crispées
sur mes hanches, ses doigts se sont enfoncés dans
ma chair, sa gorge a gémi, ses reins ont donné
quelques secousses plus brutales puis ses muscles
se sont relâchés. Sa carcasse de cheval sauvage s'est
affaissée sur moi de toute sa masse, vaincue. Il est
resté quelques secondes comme ça, puis il a dû se
rappeler où il se trouvait et il s'est rhabillé. Il a vu
le sang.

Il a dit : « C'était ta première fois ? »
J'ai pas répondu.
« Mais pourquoi tu m'as rien dit ? »
J'ai pas répondu.
Il a dit : « Je suis désolé, je dois vraiment y aller. »
J'ai dit : « C'est pas grave, je comprends. »
Et il est parti.

Je suis restée assise quelques minutes au pied de

l'arbre. La lumière de la lune éclaboussait le tapis de feuilles mortes. Dovka, qui était partie faire un tour, est revenue se coucher près de moi et a glissé sa truffe dans ma main.

Je me demandais ce que cette soirée signifiait pour le Champion. Je me demandais ce qu'elle signifiait pour moi. Et ce que je souhaitais. J'avais envie de refaire l'amour avec lui ici, au pied de cet arbre. Et puis de dormir dans ses bras. Qu'il soit un refuge, un lieu de sécurité où je serais à l'abri de la hyène, sans armes, toute nue. Mais je ne voulais pas lui appartenir, ni qu'il m'appartienne. Je ne voulais ni serments ni promesses. Juste la fête de nos corps quand ils se rencontrent. Je savais que je l'aimais et que je l'aimerais jusqu'à ma mort. Il y avait de la fidélité et de la loyauté dans cet amour. La même loyauté qui me liait à Gilles. Je serais morte pour eux. La seule différence, c'est que le Champion n'avait pas besoin de moi, alors que la vraie vie de mon petit frère dépendait de mon travail.

Un joli nuage fin comme un serpent est passé devant la lune. J'étais bien. Je savais que ce que je venais de vivre là, personne ne pourrait me le voler. Ce qui comptait, ça n'était pas d'avoir fait l'amour. Pour être honnête, c'était un peu décevant. Pas l'extase à laquelle mon corps s'était préparé. Mais j'étais liée au Champion. Ça comptait. Et j'étais certaine que ça comptait pour lui aussi.

Quelque chose a bougé devant moi. Je l'ai perçu plus que je ne l'ai vu, mais j'en étais persuadée. On m'observait. L'endroit où je me trouvais donnait sur notre maison. Le bois descendait en pente douce vers le portail, l'enclos des biquettes, notre jardin, puis la terrasse. Un parasol projetait son ombre immense sur la pierre bleue, plongeant la moitié de la terrasse dans une noirceur impénétrable. La clarté de la lune en inondait l'autre moitié. Je me trouvais trop loin pour distinguer ce qui avait bougé, mais j'étais maintenant convaincue qu'il y avait quelqu'un. Il ou elle n'avait pas pu nous voir, le Champion et moi, trop de distance et d'obscurité. Mais si c'était mon père, son âme avait très bien pu se connecter à la mienne. Cette idée a chassé la joie qui m'habitait, comme une bourrasque noire et glaciale. Une terreur aveugle a glissé le long de ma colonne vertébrale pour venir broyer mes poumons. J'ai senti ses yeux. Il était là, il n'y avait plus le moindre doute. Et il me voyait sans me regarder, avec son sixième sens de chasseur. Il était là, avec son regard rouge et sa mâchoire ouverte. Et il caressait la hyène assise à côté de lui. Il avait vu ma joie et il salivait à l'idée de l'anéantir.

C'était un royaume que j'avais bâti ces dernières années, à l'abri de sa colère, avec le professeur Pavlović, le Champion, la Plume, Takeshi et

Yumi. J'avais réussi à me construire un paysage intérieur solide et fertile. Il n'avait rien vu, j'avais déployé des trésors d'ingéniosité pour lui dissimuler ça derrière un décor sec et gris. Il ne savait pas qui j'étais. Maintenant, il savait, le décor était tombé, il voyait tout. Et il allait le saccager. Peut-être même me tuer. Et ça ne pouvait pas arriver. La vie de Gilles en dépendait. Gilles, ses six ans, son rire et sa glace vanille-fraise.

Je ne pouvais pas rentrer chez moi. J'ai pensé aller me réfugier chez le professeur Pavlović ou même chez le Champion, mais ça ne ferait que reporter le problème. Comme pour répondre à mes réflexions, la voix de mon père a giflé la pénombre.

« Dovka ! »

Je n'ai pas eu le temps de la retenir, son petit corps a quitté le mien et a couru vers la maison, joyeux et confiant. J'ai crié : « Dovka ! Non ! Dovka ! » Elle ne m'a pas entendue. Ou pas écoutée. Dovka était un morceau de moi. Le morceau le plus naïf. Mon père le savait. Et il l'attirait entre ses griffes. Je pouvais sentir son sourire noir sous le parasol.

J'ai bondi, dévalé la pente, les épaules loin

devant mon centre de gravité, à deux doigts de la chute. Je suis arrivée au portail par-dessus lequel Dovka avait déjà sauté. C'était trop tard, je le savais. Je ne faisais que m'engouffrer dans son piège. Je suis passée à côté de l'enclos des biquettes. Elles dormaient, ces connes. Je me suis avancée. La silhouette de mon père se dessinait maintenant nettement devant le mur gris guano de la maison. Il s'était levé. Et il tenait Dovka dans ses bras. J'ai eu l'image précise de l'ivrogne. À quatre ans d'intervalle, je revivais la même situation. Enfin, pas tout à fait. Pas du tout, même. Aujourd'hui, plus que jamais, personne n'était là pour me protéger.

Je n'étais plus qu'à deux mètres de mon père. Il avait un regard que je n'avais jamais vu, même quand il perdait le contrôle de sa colère. Quand il frappait ma mère, il y avait quelque chose de triste, comme s'il était prisonnier de sa rage et qu'il la subissait. Ici, c'était autre chose. C'était la hyène. Elle avait pris le contrôle total. Et elle allait accomplir les projets qu'elle nourrissait depuis des années, enfermée dans sa carcasse empaillée. Elle jubilait. La bouche de mon père était ouverte et son maxillaire inférieur bougeait, comme s'il riait, mais sans le son. Sa bouche s'ouvrait en grand, se refermait un peu, puis se rouvrait encore, comme s'il mâchait l'air, dans un sourire macabre.

Sa main immense s'est refermée autour du cou de ma petite chienne. Elle a émis un drôle de grognement avant de suffoquer. Son petit corps se débattait, exactement comme le mien, quelques jours auparavant. Ses pattes fendaient l'air, comme si elle essayait de courir loin de ce qui était en train de lui arriver. Je savais que si je ne faisais rien, ça allait aller très vite.

Je n'ai pas réfléchi, je me suis jetée en avant, franchissant la distance qui me séparait encore de mon père. J'ai bondi vers son poignet et j'ai mordu. Plus fort que dans le bras du père du petit gros, dans la forêt. Mes incisives se sont enfoncées loin, tout contre l'os. Elles ont coupé une veine importante, le sang a coulé sur ma langue, puis dans ma gorge. Mon diaphragme s'est crispé, mais j'ai réussi à contrôler ma nausée. Mon père n'a pas lâché le cou de Dovka. Son autre main a attrapé mes cheveux et a tiré si fort que j'ai cru qu'il allait m'arracher le cuir chevelu. J'ai mordu plus profondément, je voulais lui trancher la main à la seule force de mes mâchoires. Une idée curieuse m'a traversé l'esprit. L'idée que ma bouche me servait à mordre mon père alors qu'elle me servait à embrasser le Champion moins de quinze minutes auparavant. Que mon corps était passé d'instrument de plaisir à instrument de douleur en quelques secondes.

Rien ne voulait lâcher, ni sa main, ni mes dents, ni mes cheveux. Alors, j'ai frappé, de mes deux poings, partout où je pouvais, à l'aveugle. Je savais que ça ne lui ferait pas mal, mais ça pouvait l'énerver suffisamment pour qu'il décide de lâcher Dovka pour se consacrer entièrement à moi. Ça a fonctionné. J'ai senti les tendons bouger sous mes dents et j'ai entendu la petite masse s'écrouler sur la pierre bleue. Sa main qui tenait toujours mes cheveux a approché mon oreille de sa bouche. Il a grogné « Alors comme ça, tu veux jouer... » Il a éloigné mon visage du sien et a abattu son poing sur ma joue. Il a lâché mes cheveux et mon corps s'est écrasé au sol, à côté de celui de Dovka. Elle ne bougeait plus. Sans prendre le temps de voir si elle vivait encore, j'ai enfoui mon visage entre mes bras pour le protéger.

Le pied de mon père s'est enfoncé dans mon ventre. Avec ses bottines de chasse, des chaussures larges et dures. Le premier coup a bloqué ma respiration. Les autres semblaient vouloir réduire mon appareil digestif en un coulis informe de tissus organiques. Le goût ferreux qui emplissait ma bouche me disait qu'il allait finir par y arriver. Mes mains ont voulu protéger mon ventre. Alors il a attrapé ma tête. Sa main immense a saisi ma mâchoire, ses doigts se sont plantés dans mes joues. Il semblait vouloir écraser mon visage, pulvériser mon existence et mon identité. Je voulais lutter, mais il était trop rapide. Il a frappé encore. Mon arcade a heurté la pierre. Beaucoup trop fort. Le choc a résonné jusque dans les racines du cerisier. J'ai senti le sang couler. Je me suis recroquevillée.

J'avais vu ma mère tant de fois dans la même posture, terrorisée, attendant que ça passe. Mais moi, je ne pouvais pas rester inerte. Parce que je n'étais pas ma mère, parce qu'il y avait Gilles. Et parce que la bête qui dormait derrière mes tripes venait de se réveiller. Et qu'elle était de mauvais poil. Vraiment. Je l'ai entendue souffler : « Je pensais avoir été claire la dernière fois, putain. » Elle a gerbé ses petits, encore. Et ils se sont nourris de la violence de mon père et de la force que le Champion venait de me donner. La force n'est pas sexuellement transmissible, la scientifique en moi le savait. Mais à cette seconde précise, j'y ai cru. Toute la puissance du Champion m'habitait. Son corps était le mien. J'avais sa masse musculaire et son entraînement. Et mon père n'était pas de taille à l'affronter.

Il s'est penché sur moi. Il ne se doutait pas de ce qui l'attendait. Cette fois, c'est mon poing, ou celui du Champion, ou autre chose, qui a bondi. J'ai entendu le « crac » de son os nasal. Il est tombé à la renverse sur la table en fer forgé. J'ai eu la sensation précise de posséder des griffes au bout de mes doigts. J'ai lacéré la chair de son visage. Je pouvais sentir les petits morceaux de peau s'agglomérer sous mes ongles. J'ai profité de l'effet de surprise pour me précipiter à l'intérieur de la maison. Dans la cuisine. Je savais qu'à mains nues, je ne ferais pas le poids bien longtemps. Le sang qui s'échappait de mon arcade inondait mon œil droit. J'avançais à tâtons. Il y avait un porte-couteau en bois sur le plan de travail.

Mon père a franchi la porte vitrée au moment où je sortais le grand couteau à viande. À viande. Ce mot m'a mangé le cerveau. J'ai regardé mon père. Il a regardé le couteau. De petites cascades de sang coulaient de ses narines et des longues plaies qui zébraient ses joues. La première surprise passée, il a ricané. Le jeu lui plaisait. « Qu'est-ce que tu vas faire avec ça, petite fille ? » Les cascades affluaient vers ses lèvres. Ses dents étaient rouges. C'est à ce moment-là que ma mère est entrée.

« Tu as vu comme tu l'as bien élevée, ta fille ? Elle baise dans les bois et maintenant, elle veut tuer son papa. »

Je ne sais pas pourquoi, j'ai pensé tout à coup que j'avais oublié de remettre mon grand pull informe et que j'étais là, face à mon père, avec ma petite robe à fleurs. Ma tenue vestimentaire aurait dû être le dernier de mes soucis, mais ça m'a paru important à cet instant précis. Je ne bougeais plus. Mon père se tenait à un mètre de moi et du couteau. Il ne bougeait pas non plus. Ma mère était dans ma vision périphérique, je ne pouvais pas la voir précisément, mais je savais la tête qu'elle faisait. Elle avait la bouche ouverte et les yeux écarquillés, l'épouvante incarnée, comme Wendy dans *Shining*, de Stanley Kubrick. Qu'est-ce qu'elle souhaitait ?

Je tenais ce couteau devant moi. Et je me demandais comment frapper pour être certaine de ne pas le rater. Je savais que je n'aurais pas droit à une deuxième chance. Il faudrait un seul coup, puissant, précis, mortel. Je regardais mon père et la hyène à l'intérieur, et je mesurais chaque paramètre, calculais chaque hypothèse. J'essayais d'ignorer la voix qui commençait à s'élever, qui était en train d'envahir mon système sanguin comme un torrent glacé. Pourtant, cette voix s'imposait, plus puissante que la créature dans mes tripes. Enfoncer cette lame dans de la chair vivante était interdit. Viscéralement, du plus profond de ma condition d'être humain, des millénaires de civilisation ont hurlé que je n'avais pas le droit. Que ça serait pire que la mort. Que je n'étais pas faite comme ça. Cette lame. Mon adolescence lacérée. La haine volcanique que je ressentais pour mon père. Ses mains de bourreau. Son haleine de furoncle. Les mots d'amour qu'il ne m'avait jamais dits. Les cris de ma mère. Le rire de Gilles. Dovka. C'était si lourd et pourtant ça ne pesait rien. Je me suis sentie fatiguée. Si fatiguée que j'ai eu envie que tout se termine. Là, dans cette cuisine. J'étais prête à capituler. Il avait raison. La proie finit par se rendre. Et par implorer la mort. Le chasseur la libère. Mon père a compris. Il a ricané en s'approchant de moi.

« Ma petite fille. Ma toute petite fille. »

J'allais mourir maintenant. J'espérais que ça aille vite. Qu'il fasse ça proprement. J'ai prié pour que ma mère quitte la pièce, qu'elle ne regarde pas ça. J'étais désolée pour le professeur Pavlović aussi. Tout ce temps qu'il avait passé à remplir ma tête d'un savoir qui allait se volatiliser maintenant. J'ai regardé mon père. Je ne sais pas pourquoi quelque chose à l'intérieur de moi a espéré qu'il se transforme tout à coup. Qu'il devienne un vrai père. Mais je n'ai vu qu'un prédateur.

Sa main a saisi la mienne, celle qui tenait le couteau. J'ai senti son sang chaud sur mes doigts.

«Tu es trop faible, ma petite fille.»

Il a pris le couteau. Mes doigts n'ont pas lutté. J'ai senti la lame sur ma gorge. J'ai pensé: «Comme ça. D'accord.»

Je n'avais pas peur. Et je savais une chose. Je n'étais pas faible. J'acceptais ma mort à l'âge de quinze ans. J'avais entrevu tout ce que la vie avait de merveilleux à m'offrir. J'avais vu l'horreur et j'avais vu la beauté. Et la beauté avait gagné. Je n'étais pas faible. J'acceptais de perdre Gilles pour toujours. De ne pas revenir le sauver. Je n'étais pas faible. Je n'étais pas une proie.

Avant de trancher ma carotide, mon père a approché son visage à quelques centimètres du mien.

Une deuxième silhouette est apparue à côté de celle de ma mère. Mon père a tourné la tête. Gilles le tenait en joue avec une arme de poing. Je n'y connaissais rien en armes, mais j'ai vu à la tête de mon père que ça n'était pas un jouet. Elle avait l'air immense dans la petite main de mon frère.

Il n'avait que onze ans, c'était un enfant. Il m'a semblé si petit tout à coup. Un petit garçon. J'ai regardé l'arme dans sa main et j'ai repensé à la glace vanille-fraise. C'était il y a cinq ans. Et je revoyais Gilles pour la première fois depuis l'accident du glacier. Il était là. Mon tout petit frère.

L'essaim qui grouillait dans sa tête semblait s'être dissipé. Il pleurait. Mais sa main ne tremblait pas. La tribu avait repris le contrôle dans sa tête. Je pouvais entendre les hurlements de victoire du village de résistants.

Mon père m'a lâchée.

« Gilles, donne-moi ça. »

On aurait dit un dompteur qui aurait perdu le contrôle d'un de ses fauves.

« Gilles ! »

Gilles ne bougeait pas.

« Gilles, tire ! »

Ma mère. Elle avait dit ça ? Vraiment ? Mon père a tourné la tête vers elle. Oui, vraiment. Elle savait que s'il ne mourait pas ce soir, il la tuerait pour ces deux mots-là. Mais elle aussi, elle était épuisée. Il fallait que quelque chose se termine. En réalité, c'était peut-être la seule chose que nous partagions tous les quatre, l'envie d'en finir avec cette famille.

Je me suis demandé si nous avions vécu un seul moment heureux ensemble. Je me suis souvenue de vacances au bord d'un lac, quelque part en Italie.

J'avais peut-être sept ou huit ans. Une promenade dans un joli village. Nous étions sur un pont de pierre, mon père photographiait la rivière et, derrière nous, un type avait appelé son gamin. Le type était immense, un physique d'éleveur de taureaux. Et il avait une voix ridicule. Un filet aigu et étranglé. On aurait dit une petite chèvre enrhumée. Mes parents avaient éclaté de rire. Ensemble. Gilles et moi avions suivi. Gilles riait sans comprendre pourquoi, comme les petits le font, juste pour se sentir inclus dans le monde des grands. Le type avait remarqué qu'on se moquait de lui, alors nous étions partis vers les ruelles en rigolant comme des mauvais élèves. Ce moment de joie avait existé. Mais il avait été si fugace qu'on pouvait le qualifier d'heureux hasard. Et ce soir, notre famille allait disparaître. L'injonction de ma mère était inutile. Gilles avait déjà pris sa décision. Mon père a compris. Tout le monde a compris.

Gilles a tiré.

J'ai d'abord entendu le bruit sec du couteau quand il est tombé sur le lino. Le corps de mon père l'a suivi. Il s'est étalé sur le sol comme avaient dû le faire avant lui tous les corps empaillés dans la chambre des cadavres.

Mais il n'était pas mort. Gilles avait tiré dans son ventre. Son énorme masse s'est mise à se contorsionner comme un poisson sur le pont d'un bateau de pêche. Ses deux mains essayaient de retenir le sang qui s'échappait. Il ressemblait à un animal. Plus que jamais, on était dans le grand ordre naturel, où chaque organisme lutte pour sa survie. Le corps de mon père se révoltait, refusait sa propre mort.

Gilles était trop adroit pour avoir raté son coup. Il savait exactement où il avait tiré. Il voulait une agonie à la hauteur de la vie de notre père.

L'odeur du sang s'est répandue. Cette odeur tiède et nauséeuse. Les yeux de mon père roulaient dans leurs orbites, il ressemblait à ces masques d'Halloween au regard blanc. De ses lèvres coulait un filet de bave sanguinolente. Ma mère le regardait, les mains jointes devant la bouche.

Gilles avait le visage satisfait de celui qui vient d'accomplir une tâche utile à la collectivité, comme balayer un gros tas de feuilles mortes sur un trottoir. Moi, je voulais que ça s'arrête. Maintenant.

« Gilles, termine, s'il te plaît. » Je ne pleurais pas. Je savais que ça viendrait plus tard. Il s'est approché de mon père. Sa grande carcasse convulsait. Sa gorge émettait un hoquet qui aurait pu être drôle dans d'autres circonstances.

Avec une assurance d'expert, Gilles a dit :

« C'est presque fini, tu sais. »

Je m'en foutais du « presque », je voulais que ça s'arrête.

« S'il te plaît. »

Il a pointé l'arme vers le visage de mon père. Ou de ce qu'il en restait. Un sac de douleur abjecte.

Gilles a tiré. La balle est passée à travers sa pommette, lui pulvérisant le visage. Son corps a arrêté de fonctionner aussi vite que si on avait poussé sur un interrupteur. *Off.*

Off, Papa.

On dit que le silence qui suit Mozart, c'est encore du Mozart. On ne dit rien sur le silence qui suit un coup de feu. Et la mort d'un homme.

J'imagine qu'on n'est pas si nombreux que ça à l'avoir entendu.

J'ai levé les yeux vers Gilles. Il était là. Mon tout petit frère. Il était là et il pleurait. C'est comme si on me l'avait ramené de chez les morts. La vermine ne l'avait pas tué.

Je ne sais pas pourquoi, j'ai fredonné la *Valse des fleurs* de Tchaïkovski. Peut-être que je voulais que cette chanson-là soit mon chiffon à mauvais souvenirs, que je ne voulais pas en salir une autre. La terreur est partie. Elle m'a quittée comme une meute de loups décide d'abandonner une traque.

Je ne me souviens pas bien des semaines qui ont suivi la mort de mon père. C'est un brouillard blanc dans lequel seuls quelques fragments apparaissent. Le corps de Dovka que j'ai enterré dans le jardin. Des auditions de police. Le seul élément qui les a intrigués, c'était l'arme. Ils ne comprenaient pas d'où elle venait. Elle n'appartenait pas à mon père. Elle n'appartenait à personne. Son numéro de série ne correspondait à rien. Ils sont remontés jusqu'au fabricant, qui leur a répondu que ce modèle ne faisait même pas partie de son catalogue. J'ai entendu un inspecteur dire à ma mère : « Ça n'a aucun sens, cette arme n'existe pas. »

L'explication de Gilles n'était pas claire. « Je l'ai trouvée dans le tiroir de mon bureau, à côté de mon couteau de chasse. » Et il y avait ces mots gravés sur la crosse : « L'avenir veille sur toi. »

Ça les a fatigués de ne pas comprendre, et la légitime défense ne faisant aucun doute, la mort de mon père est partie moisir dans une boîte en carton, sur l'étagère des dossiers classés.

J'ai compris que j'avais réussi, quelque part dans le futur.

Assise sur le banc en pierre devant notre maison, j'ai regardé les déménageurs remplir un camion avec les trophées de mon père. Une arche de Noé morte. Un collectionneur a acheté tout le lot. Je crois que ma mère l'avait laissé pour un prix ridicule.

Gilles est venu s'asseoir à côté de moi. On a regardé le haillon se refermer sur les yeux jaunes de la hyène. Je savais qu'elle ne me quitterait jamais vraiment. Le camion a remonté la rue et j'ai fermé les yeux. La deuxième partie de ma vie a débuté à cette seconde précise. Le jour finissait et mon histoire commençait.

Il y avait ce que je devais oublier. La peur sauvage, sanguinaire, qui s'enroulait autour de ma gorge et qui me susurrait que je n'étais qu'un tas de chair et de nerfs. Cette chose me fredonnait que ce qui me séparait de la souffrance était aussi fin et fragile que la fontanelle d'un nouveau-né.

Et il y avait ce que je devais garder. Le souffle du crépuscule sur mes paupières. La bête enragée qui s'était rendormie au fond de mon ventre. Les mains du Champion que je pouvais encore sentir sur mes hanches.

Et le sourire de Gilles.

L'EXEMPLAIRE QUE VOUS TENEZ ENTRE LES MAINS
A ÉTÉ RENDU POSSIBLE GRÂCE AU TRAVAIL DE TOUTE UNE ÉQUIPE.

ÉDITION : Julia Pavlowitch
COUVERTURE : Quintin Leeds
MISE EN PAGE : Soft Office
RÉVISION : Jean-Luc Demizieux et Laurent Raymond
FABRICATION : Maude Sapin
COMMERCIAL : Pierre Bottura
PRESSE/COMMUNICATION : Audrey Siourd
RELATIONS LIBRAIRES : Marie Labonne et Jean-Baptiste Noailhat

DIFFUSION : Élise Lacaze (Rue Jacob diffusion), Katia Berry
(grand Sud-Est), François-Marie Bironneau (Nord et Est),
Charlotte Jeunesse (Paris et région parisienne), Christelle Guilleminot
(grand Sud-Ouest), Laure Sagot (grand Ouest), Diane Maretheu
(coordination) et Charlotte Knibiehly (ventes directes),
avec Christine Lagarde (Pro Livre), Béatrice Cousin
et Laurence Demurger (équipe Enseignes), Fabienne Audinet
et Benoît Lemaire (LDS), Bernadette Gildemyn
et Richard Van Overbroeck (Belgique), Nathalie Laroche
et Alodie Auderset (Suisse), Kimly Ear (Grand Export)

DISTRIBUTION : Hachette

DROITS FRANCE ET JURIDIQUE : Geoffroy Fauchier-Magnan
DROITS ÉTRANGERS : Sophie Langlais
ENVOIS AUX JOURNALISTES ET LIBRAIRES : Patrick Darchy
LIBRAIRIE DU 27 RUE JACOB : Laurence Zarra
ANIMATION DU 27 RUE JACOB : Perrine Daubas
COMPTABILITÉ ET DROITS D'AUTEUR : Christelle Lemonnier
avec Camille Breynaert
SERVICES GÉNÉRAUX : Isadora Monteiro Dos Reis

La couverture et la bande ont été imprimées
par l'imprimerie Stipa à Montreuil.

Achevé d'imprimer par CPI Bussière en France
à Saint-Amand-Montrond en septembre 2018.

ISBN : 978-2-37880-023-9
N⁰ d'impression : 2039617
Dépôt légal : Août 2018